Tout pour écrire...

Sans fautes

Cahier de grammaire

■ notions

■ exercices

Frédérique Izaute

Julie Roberge

LES ÉDITIONS
CEC

33-29

9001, boul. Louis-H.-La Fontaine, Anjou (Québec) Canada   H1J 2C5
Téléphone : 514-351-6010 • Télécopieur : 514-351-3534

Direction de l'édition
Isabelle Marquis

Direction de la production
Danielle Latendresse

Direction de la coordination
Sylvie Richard

Charge de projet
Suzanne Champagne

Révision linguistique
Suzanne Delisle

Révision scientifique
Denise Sabourin

Correction d'épreuves
Jacinthe Caron

Conception et réalisation
Dessine-moi un mouton

Page couverture
Dessine-moi un mouton

Les auteures et l'Éditeur tiennent à remercier les collaborateurs :

Carole Savard (collège de Valleyfield) et Robert Charbonneau (collège de Rosemont), consultants pédagogiques ;

Denise Sabourin, consultante scientifique ;

Karine Pouliot (HEC Montréal), pour ses précieux conseils en début de projet.

De plus, un merci spécial des auteures à :

Christine Bonenfant (collège de Bois-de-Boulogne) et Guillaume Roy-Messier pour les suggestions de textes ;

Josefina Caraghiaur, Isabelle Beaulé et Marie-Andrée Clermont (cégep Marie-Victorin), ainsi que Martine Differ (collège Montmorency) pour les discussions sur la pédagogie de la mise à niveau, la méthodologie et la démarche grammaticale ;

Huguette Maisonneuve (collège Brébeuf) pour sa vision pédagogique de la nouvelle grammaire, source intarissable d'inspiration ;

tous les tuteurs que nous côtoyons au Prétexte (cégep Marie-Victorin) et au CAF (collège Montmorency), pour leur ouverture d'esprit et leur créativité pédagogique.

Tout pour écrire... Sans fautes,
Cahier de grammaire, notions, exercices
© 2006, Les Éditions CEC inc.
9001, boul. Louis-H.-La Fontaine
Anjou (Québec) H1J 2C5

Dépôt légal : 2006
Bibliothèque et Archives nationales du Québec
Bibliothèque et Archives Canada

ISBN 978-2-7617-2401-2

Imprimé au Canada
9   10   11   12   13   26   25   24   23   22

MIXTE
Papier issu de sources responsables
FSC® C103567
www.fsc.org

Les utilisateurs du *Sans fautes*

Les élèves du collégial font de la grammaire depuis des années déjà. Ainsi, nous pensons qu'il faut construire sur ce que l'élève connaît et, surtout, éviter d'évoquer le spectre des longues heures de théorie fastidieuses. C'est pourquoi, dans ce cahier, toutes les présentations théoriques sont brèves et contiennent peu de métalangage.

Nous avons choisi d'aborder certaines notions plus en profondeur parce qu'elles seront utiles à l'élève du collégial, qui doit comprendre et même analyser un texte littéraire. C'est dans cette optique que nous présentons le chapitre 3 sur les phrases transformées, et certains autres éléments théoriques rarement abordés (les expansions du noyau du groupe sujet déplacées et la modification de l'ordre des constituants de la phrase).

Une démarche...

simplificatrice

La démarche présentée dans ce cahier d'exercices a fait ses preuves, aussi bien dans les classes de mise à niveau que dans les centres d'aide en français. Elle vise à fournir à l'élève une vision d'ensemble du système linguistique de façon qu'il puisse en appliquer les principes rapidement dans ses propres textes. Une telle démarche nécessite cependant certains « arrangements » du contenu grammatical. Ainsi, il ne faut pas considérer ce cahier comme une grammaire de référence; certains choix théoriques (la notion de verbe conjugué ou la définition des groupes infinitifs et participiaux, par exemple), qui pourront paraître *a priori* simplificateurs, voire discutables, visent un but très précis.

intégrée

Notre premier souci est de montrer pourquoi chaque notion est abordée et ce à quoi elle mène. Par exemple, reconnaître un complément de phrase ne donne rien en soi, mais ponctuer correctement exige de reconnaître les compléments de phrase. Au début de chaque chapitre, nous avons donc présenté un organigramme.

Parce qu'ils s'insèrent dans une démarche intégrée, tous les chapitres reprennent, dans un parcours cumulatif, plusieurs notions abordées dans les chapitres précédents. Cette organisation permet à l'élève de consolider des connaissances essentielles (notamment la reconnaissance des principaux constituants de la phrase). Au fil des pages, plusieurs exercices constituent des synthèses ponctuelles. De plus, on y trouve des exercices de récapitulation. Cependant, plus l'élève avance dans cette démarche intégrée, plus elle se complexifie, de là toute l'importance de l'accompagnement du professeur ou du tuteur.

structurée et analytique

Dans plusieurs exercices, les consignes sont présentées en plusieurs étapes, ou même sous forme quasi algorithmique ou mathématique, qui permettent à l'élève de structurer sa démarche. De plus, ces consignes en plusieurs étapes obligent l'élève à justifier ses choix de réponse et à décortiquer l'analyse qu'il a faite; il constate ainsi que la langue est un système organisé selon une logique et des régularités et qu'il peut faire confiance à son jugement et abandonner l'idée que tout est exception. Il ne s'agit pas de retenir les règles, mais de les appliquer. Les exercices mettent donc l'accent sur l'application de la théorie pour mener à des rédactions... sans fautes.

et, surtout, axée sur la rédaction de texte

Le transfert est la clé de l'apprentissage réussi. Nous avons voulu offrir, dans ce cahier, plus que des exercices traditionnels qui exposent la matière et permettent de l'appliquer en contexte. C'est pourquoi nous avons multiplié, dans chacun des chapitres, les textes à corriger et c'est surtout pourquoi tous les chapitres finissent par des exercices de rédaction.

Les exercices de rédaction nous apparaissent comme les tâches les plus importantes du cahier; l'ensemble de la démarche théorique rend l'élève capable de les faire. Toute la théorie doit être réinvestie dans ces exercices d'écriture dont le canevas peut facilement être repris par l'enseignant dans d'autres consignes de rédaction. D'ailleurs, nous avons fourni en annexe des textes littéraires, dont l'analyse ou le commentaire sont prétextes à rédiger.

Dès la fin du premier chapitre, l'élève est capable d'utiliser les notions grammaticales étudiées afin d'analyser certains aspects de ses productions écrites. En effet, il est alors apte à découper les phrases syntaxiques autonomes (celles des exercices, mais les siennes aussi!). Du point de vue de l'organisation du temps de classe, il nous semble primordial que le temps consacré à l'écriture soit au moins aussi important que celui passé à faire des exercices.

PRÉSENTATION DES CARACTÉRISTIQUES DE L'OUVRAGE

Organigramme

Il présente les notions abordées et explique en quoi ces notions sont nécessaires pour mener à des opérations plus pragmatiques (accorder les participes passés avec l'auxiliaire *avoir*) ou pour éliminer des erreurs courantes (reconnaître une phrase incomplète).

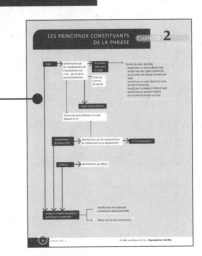

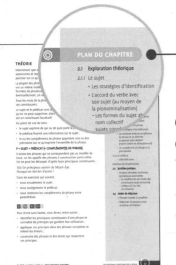

Organisation du chapitre

Chaque chapitre est divisé en trois grandes sections : une ***exploration théorique*** constituée de notions grammaticales et d'exercices, une ***synthèse pratique*** pour renforcer les acquis et un ***atelier de rédaction***, qui constitue le vrai défi.

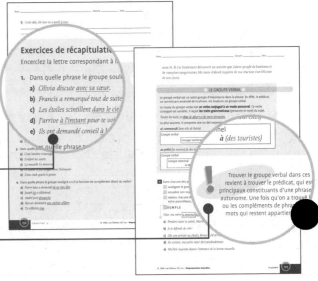

De plus, des ***exercices de récapitulation***, de type réponses à choix multiples, terminent chaque section *Exploration théorique*.

Le cahier est émaillé de ***conseils*** et de ***remarques*** à l'attention de l'élève.

Présentations théoriques

Elles sont brèves et rassemblées dans les **encadrés théoriques** tramés et marqués par la lettre **g**.

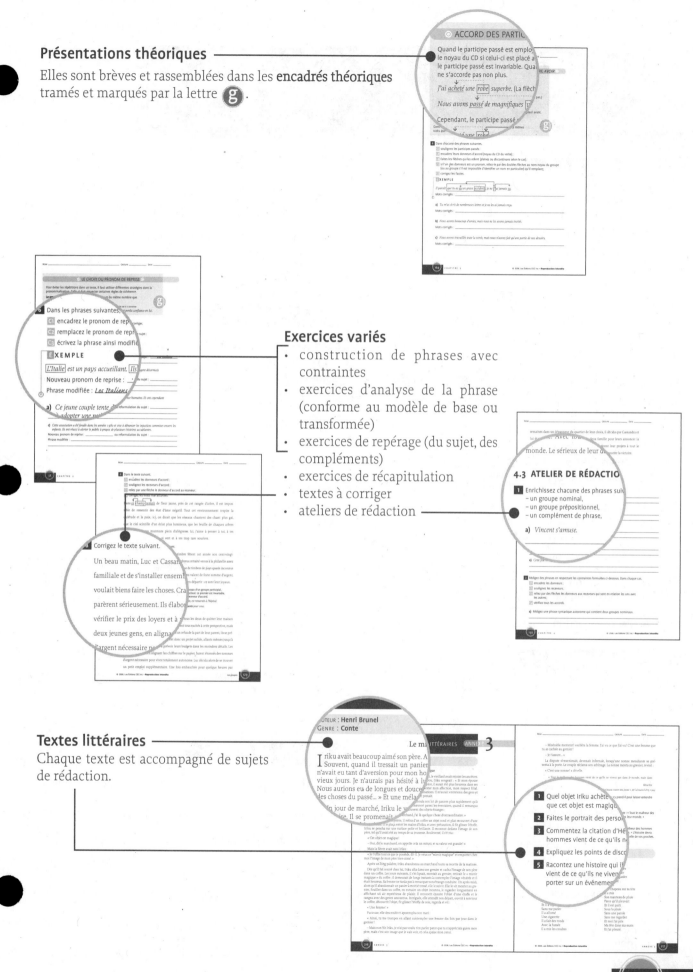

Exercices variés

- construction de phrases avec contraintes
- exercices d'analyse de la phrase (conforme au modèle de base ou transformée)
- exercices de repérage (du sujet, des compléments)
- exercices de récapitulation
- textes à corriger
- ateliers de rédaction

Textes littéraires

Chaque texte est accompagné de sujets de rédaction.

TABLE DES MATIÈRES

CHAPITRE 5

LE PRÉDICAT

CHAPITRE 6

LES PHRASES SUBORDONNÉES

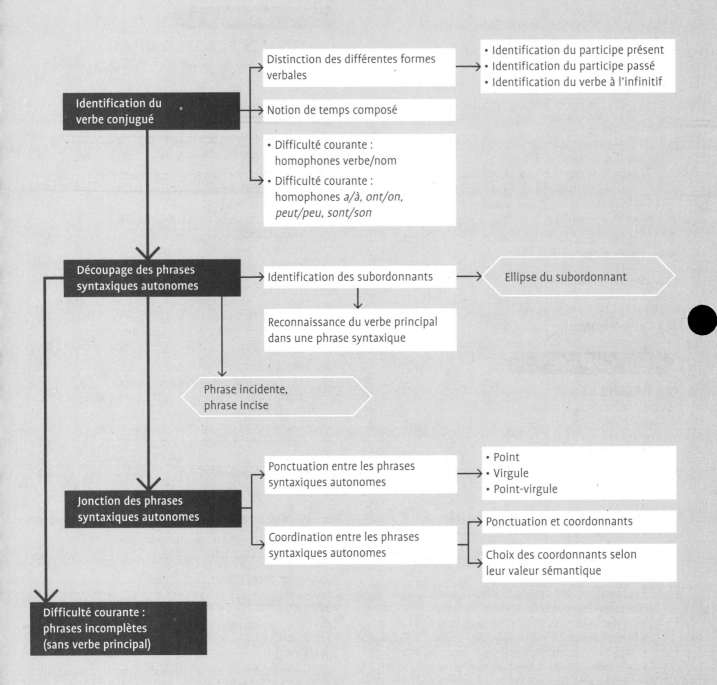

Identification du verbe conjugué

→ Distinction des différentes formes verbales
  - → • Identification du participe présent
    - • Identification du participe passé
    - • Identification du verbe à l'infinitif

→ Notion de temps composé

→ • Difficulté courante : homophones verbe/nom
→ • Difficulté courante : homophones a/à, ont/on, peut/peu, sont/son

Découpage des phrases syntaxiques autonomes

→ Identification des subordonnants
  → Ellipse du subordonnant
  ↓ Reconnaissance du verbe principal dans une phrase syntaxique

Phrase incidente, phrase incise

Jonction des phrases syntaxiques autonomes

→ Ponctuation entre les phrases syntaxiques autonomes
  - → • Point
    - • Virgule
    - • Point-virgule

→ Coordination entre les phrases syntaxiques autonomes
  - → Ponctuation et coordonnants
  - → Choix des coordonnants selon leur valeur sémantique

Difficulté courante : phrases incomplètes (sans verbe principal)

THÉORIE

La porte d'entrée pour l'apprentissage de la langue est la phrase. En effet, c'est l'élément à maîtriser avant tout : l'assemblage des mots donne les phrases et l'assemblage des phrases donne les textes. Maîtriser la phrase, c'est donc savoir comment choisir et agencer les mots.

Le mot *phrase* désigne plusieurs réalités : ce qu'il y a entre une majuscule et un point ; ce qui exprime une seule idée ; le regroupement d'un sujet, d'un verbe et de ses compléments… Pour éviter cette confusion, nous choisirons comme unité d'analyse la phrase syntaxique, c'est-à-dire celle qui s'articule autour d'un verbe conjugué à un mode personnel (que nous appellerons *verbe conjugué*).

Puisque le verbe conjugué est l'élément fondamental qui assure la reconnaissance de la phrase syntaxique autonome, nous nous intéresserons donc d'abord à son repérage.

Puis, comme toutes les phrases syntaxiques ne sont pas des unités autonomes, nous apprendrons à délimiter des phrases syntaxiques autonomes et à comprendre comment elles sont construites.

DÉMARCHE

Pour écrire sans fautes, vous devez, entre autres :

- comprendre les principes qui régissent la construction des phrases syntaxiques autonomes ;
- appliquer ces principes dans des phrases complètes ;
- construire des phrases et des textes qui respectent ces principes.

1.1 EXPLORATION THÉORIQUE

1.1.1 Le verbe conjugué

◎ LES STRATÉGIES D'IDENTIFICATION ◎

Pour s'assurer qu'un mot est un verbe conjugué à un mode personnel, on doit vérifier si on peut effectuer sur ce mot les deux manipulations suivantes :
- encadrement par *ne (n')... pas* ;
- modification par le changement de temps.

En ce moment, nous regardons ce vieux film d'horreur à la télévision.

Encadrement par *ne... pas*
*En ce moment, nous **ne** regardons **pas** ce vieux film d'horreur à la télévision.*

Modification par le changement de temps
*Demain, nous **regarderons** ce vieux film d'horreur à la télévision.*

1 Dans chacune des phrases suivantes,

C1 appliquez les deux manipulations permettant d'identifier le verbe conjugué ;

C2 soulignez le verbe.

Lorsque le verbe est à un temps composé, l'encadrement par *ne (n')... pas*
et la modification par le changement de temps se font sur l'auxiliaire :
*Mon frère **n'a pas** mangé son dessert.*
*Mon frère **avait** mangé son dessert.*

EXEMPLE

Ce soir, nous regarderons la télévision.

Encadrement par *ne (n')... pas* : <u>*Ce soir, nous **ne** regarderons **pas** la télévision.*</u>

Changement de temps : _____ *... nous **regardons** la télévision.*_____

Ce soir, nous <u>regarderons</u> la télévision.

a) *Ta sœur a refusé de venir avec nous.*

Encadrement par *ne (n')... pas* : _____

Changement de temps : _____

b) *Elle a déjà vu ce film.*

Encadrement par *ne (n')... pas* : _____

Changement de temps : _____

c) *Elle préfère les films policiers.*

Encadrement par *ne (n')... pas* : _____

Changement de temps : _____

d) *Pour elle, l'univers des gangs, c'est plus intéressant.*

Encadrement par *ne (n')... pas* : _____

_____

Changement de temps : _____

_____

e) *Elle conseille à tout le monde d'aller voir le nouveau film policier à l'affiche.*

Encadrement par *ne (n')... pas* : _____

_____

Changement de temps : _____

_____

⊙ LA DISTINCTION DES DIFFÉRENTES FORMES VERBALES ⊙

Les verbes se comportent de façons différentes suivant leur forme.

- Certaines formes (que nous appellerons **verbes conjugués**) prennent les traits de personne (*je, tu, il...*), de nombre (singulier, pluriel) et de temps (imparfait, futur...).

- **Les participes passés** ne prennent pas les traits de personne. Ils fonctionnent généralement comme des adjectifs : ils s'accordent, c'est-à-dire qu'ils prennent les traits de genre (masculin, féminin) et de nombre (singulier, pluriel).

- **Les participes présents** et **les verbes à l'infinitif** sont invariables.

Lorsqu'un verbe est conjugué à un temps composé, il est constitué de deux mots :

- **l'auxiliaire**, qui est une forme conjuguée (il prend les traits de personne, de nombre et de temps) ;

- **le participe passé**, qui fonctionne la plupart du temps comme un adjectif (il prend les traits de genre et de nombre).

Elle est tombée alors qu'elle grimpait à l'arbre pour cueillir une poire.
est tombée : verbe *tomber* au passé composé.
est : auxiliaire, forme conjuguée du verbe *être*, à la 3ᵉ personne du singulier.
tombée : participe passé qui prend les traits du féminin et du singulier.

2 Dans le tableau ci-dessous, classez les mots soulignés dans le texte en fonction de la forme du verbe.

Quand Bruno rencontra Sylvie, il ressentit un véritable choc. Il avait toujours pensé que, lorsqu'il verrait pour la première fois la femme de sa vie, il saurait que c'était elle. Pourtant, tous ses amis lui disaient que c'était ridicule et que, en pensant de cette façon, il risquait de passer à côté de sa chance. Ils étaient tous persuadés que tomber amoureux, ça prend du temps. Finalement, les faits donnèrent raison à Bruno. À partir de leur première rencontre, l'image de la jeune fille ne quitta plus son esprit, le hantant jusqu'au plus profond de ses rêves. Il fut patient, devint son ami et attendit qu'elle apprenne à le connaître et s'habitue à sa présence dans sa vie. Au bout de quelques mois, elle ne pouvait plus se passer de lui.

	FORME CONJUGUÉE	PARTICIPE PASSÉ	PARTICIPE PRÉSENT	INFINITIF
rencontra	X			
ressentit				
pensé				
verrait				
saurait				
était				
disaient				
pensant				
risquait				
étaient				
persuadés				
tomber				
prend				
donnèrent				
quitta				
hantant				
fut				
attendit				
connaître				
habitue				
passer				

3 À l'aide du tableau, corrigez le texte suivant.

Tout le poste de police <u>été</u> perplexe. Cela faisait plus de six mois que tout le monde courait après un tueur en série qui <u>terroriser</u> la ville. On en avait totalement <u>laissé</u> <u>tombé</u> les affaires courantes. Les vieilles dames venant se plaindre qu'on avait volé leur sac à main se faisaient rabrouées. Un jeune homme avait disparut sans éveillé aucun émoi puisqu'on savait qu'il ne correspondait pas au profil des victimes de l'assassin : des jeunes femmes jolies et intelligentes, ayant toutes de longs cheveux blonds. Les maigres indices relever avaient seulement permit d'arrêter un suspect dont l'alibi s'était <u>révélé</u> en béton. Le tueur passé à l'acte chaque premier samedi du mois avec une ponctualité désarmante et déposer ses victimes sur le seuil d'un édifice public. Et là... soudain... en ce lundi 7 décembre... on était sur les dents depuis deux jours, mais on n'avait trouver aucune victime. Pas de cadavre, aucune disparition signalée...

(annotation manuscrite : ← verbe après devrait être à infinitif)

! *partit* est une forme conjuguée du verbe *partir*; *parti* est le participe passé. Il existe bien d'autres verbes qui fonctionnent comme le verbe *partir*.

MOT MAL ÉCRIT	FORME UTILISÉE À TORT	MOT BIEN ÉCRIT	FORME UTILISÉE
été	participe passé	était	verbe conjugué
terroriser			
rélévé	participe passé	relevés	participe passé → adj
passé	imparfait		
tombé	infinitif	tomber	infinitif passé
rabouées	infinitif	rabouer	infinitif
disparut		disparue	
éveillé		éveiller	infinitif
permit	verbe conjugé	permis	participe passé
passé		passait	verbe conj
déposer		déposait	
		trouvé	participe passé

◎ LES HOMOPHONES VERBE/NOM ◎

Certains noms sont dérivés de verbes et se prononcent de la même façon que ceux-ci. On peut reconnaître les noms au fait qu'ils sont précédés d'un déterminant. De plus, ces noms s'écrivent différemment des verbes homophones.

Je travaille, **un** travail

g

4 Remplissez le tableau suivant.

INFINITIF	FORMES HOMOPHONES	
	VERBE CONJUGUÉ AU PRÉSENT	NOM
instituer	Il institue	Un institut
conseiller	Il	
survivre	Il	
travailler	Il	
substituer	Il	
attribuer	Il	
désirer	Il	
employer	Il	
recueillir	Il	
oublier	Il	
entretenir	Il	
essayer	Il	
crucifier	Il	
parier	Il	
maintenir	Il	
envoyer	Il	
réveiller	Il	
crier	Il	
garantir	Il	
appeler	Il	
vouloir	Il	

°5 Composez cinq phrases. Dans chacune d'elles, utilisez une forme tirée du tableau précédent et indiquez s'il s'agit d'un verbe conjugué ou d'un nom.

EXEMPLE

Lorsque nous partons en camping, nous emportons toujours une trousse de survie.

Forme tirée du tableau : _____ *survie* _____ Verbe conjugué ou nom ? _____ *Nom*

a) _____

Forme tirée du tableau : _____ Verbe conjugué ou nom ? _____

b) _____

Forme tirée du tableau : _____ Verbe conjugué ou nom ? _____

c) _____

Forme tirée du tableau : _____ Verbe conjugué ou nom ? _____

d) _____

Forme tirée du tableau : _____ Verbe conjugué ou nom ? _____

e) _____

Forme tirée du tableau : _____ Verbe conjugué ou nom ? _____

⊙ LES HOMOPHONES A/À, ONT/ON, PEUT/PEU, SONT/SON ⊙

La reconnaissance du verbe conjugué permet d'éviter plusieurs erreurs d'homophonie courantes.

VERBES CONJUGUÉS	HOMOPHONES
a	à ← *préposition*
ont	on
peut	peu ← *little*
sont	son ← *his*

6 Classez les mots numérotés dans le tableau suivant et corrigez-les s'il y a lieu.

Le (peut) *peu* que nous connaissons du meurtrier jusqu'**a**[1] présent ne (peu)[2] *peut* nous aider **à**[3] résoudre ces crimes, commenta le policier. Les victimes **sont**[4] fort dissemblables, bien (peut)[5] *peu* de choses les rapprochent. Chaque fois qu'un nouveau meurtre est découvert, **on**[6] croit enfin que les indices **sont**[7] suffisants pour nous mener **à**[8] l'assassin, mais nos hommes (son)[9] *sont* toujours déçus. Une recherche minutieuse des empreintes n'(a)[10] *a* rien donné. Nos experts criminologues (on)[11] *ont* néanmoins tenté de dresser le profil du suspect : (sont)[12] *son* territoire est très vaste, il **peut**[13] frapper n'importe où dans la ville ; **son**[14] goût le porte vers des victimes inoffensives et vulnérables ; il semble aimer la nuit et, surtout, (à)[15] *a* une prédilection pour un jour spécifique : chaque jeudi des deux derniers mois, il **a**[16] frappé. Et tous les experts nous (on)[17] *ont* assuré qu'il sévirait encore. Cela, messieurs, ne nous laisse que (peut)[18] *peu* de temps ; nous ne pouvons le passer **a**[19] réfléchir... Partout, **on**[20] attend de voir le coupable arrêté.

MOT	DANS LA PHRASE...		EST-IL BIEN ORTHOGRAPHIÉ ?	RÉCRIVEZ-LE CORRECTEMENT, S'IL Y A LIEU.
peut	☐ verbe conjugué	☒ autre mot	*non*	*peu*
1. a	☐ verbe conjugué	☐ autre mot		
2. peu	☐ verbe conjugué	☐ autre mot		
3. à	☐ verbe conjugué	☐ autre mot		
4. sont	☐ verbe conjugué	☐ autre mot		
5. peut	☐ verbe conjugué	☐ autre mot		
6. on	☐ verbe conjugué	☐ autre mot		
7. sont	☐ verbe conjugué	☐ autre mot		
8. à	☐ verbe conjugué	☐ autre mot		
9. son	☐ verbe conjugué	☐ autre mot		
10. à	☐ verbe conjugué	☐ autre mot		
11. on	☐ verbe conjugué	☐ autre mot		
12. sont	☐ verbe conjugué	☒ autre mot		
13. peut	☐ verbe conjugué	☐ autre mot		
14. son	☐ verbe conjugué	☐ autre mot		
15. à	☐ verbe conjugué	☐ autre mot		
16. a	☐ verbe conjugué	☐ autre mot		
17. on	☐ verbe conjugué	☐ autre mot		
18. peut	☐ verbe conjugué	☐ autre mot		
19. a	☐ verbe conjugué	☐ autre mot		
20. on	☐ verbe conjugué	☐ autre mot		

7 Relevez les 10 erreurs dans le texte suivant. Écrivez les mots mal orthographiés dans le tableau et corrigez-les.

La nuit semble parfaite, pétrifiée dans une attente étrange, immobile. L'homme marche lentement, en faisant aussi **peut** de bruit que possible ; sont maintient est fier, ses pas son amples et décidés. Sa présence en ces lieux, même si elle constitue une entorse absolue a tout ce qu'il peut y avoir de naturel et de normal, s'incorpore simplement au décore de la ville endormie. Sa silhouette s'évanouit au coin d'une rue sombre, un chat noir soudain gémit : le vampire à encore frappé. Les nuages se teintent d'une couleur rouge vif et la lune les éclairs froidement. Des cries s'élèvants dans le silence de la nuit font sursauter les citadins assoupis.

	MOT MAL ORTHOGRAPHIÉ	MOT CORRECTEMENT ORTHOGRAPHIÉ	JUSTIFICATION	
	peut	*peu*	☐ verbe conjugué	☑ autre mot
1.			☐ verbe conjugué	☐ autre mot
2.			☐ verbe conjugué	☐ autre mot
3.			☐ verbe conjugué	☐ autre mot
4.			☐ verbe conjugué	☐ autre mot
5.			☐ verbe conjugué	☐ autre mot
6.			☐ verbe conjugué	☐ autre mot
7.			☐ verbe conjugué	☐ autre mot
8.			☐ verbe conjugué	☐ autre mot
9.			☐ verbe conjugué	☐ autre mot
10.			☐ verbe conjugué	☐ autre mot

1.1.2 La phrase syntaxique autonome

◉ LE DÉCOUPAGE DES PHRASES SYNTAXIQUES AUTONOMES ◉

Chaque verbe conjugué est le centre d'une phrase syntaxique. Cependant, toutes les phrases syntaxiques ne sont pas autonomes. Certaines sont enchâssées dans d'autres phrases et ne sont pas complètes en elles-mêmes.

Les mots qui joignent les phrases non autonomes aux phrases autonomes sont **des subordonnants** (voir la liste en annexe). En général, ils ne peuvent pas être remplacés par un point parce qu'ils établissent un lien syntaxique de dépendance fort entre deux phrases.

Verbe conjugué → phrase autonome	**que** + verbe conjugué → phrase non autonome

Je pense **que** *tu vas bien.*

Verbe conjugué → phrase autonome	**parce que** + verbe conjugué → phrase non autonome

Il s'est absenté **parce que** *sa grand-mère est morte.*

Verbe conjugué → phrase autonome	**quand** + verbe conjugué → phrase non autonome

Appelle-moi **quand** *tu arriveras.*

Verbe conjugué → phrase autonome	**dont** + verbe conjugué → phrase non autonome

Hier, j'ai rencontré la fille **dont** *tu me parlais.*

Pour découper les phrases syntaxiques autonomes, il ne faut pas tenir compte des verbes conjugués précédés d'un subordonnant parce qu'ils appartiennent à une phrase syntaxique non autonome. Celle-ci est enchâssée dans une phrase autonome à l'aide du subordonnant.

On peut donc faire la déduction suivante :

nombre de phrases syntaxiques autonomes	=	nombre de verbes conjugués	−	nombre de subordonnants

8 Dans les phrases graphiques suivantes,

C1 soulignez les verbes conjugués ;

C2 encerclez les subordonnants à l'aide de la liste en annexe ;

C3 à l'aide des cases, déterminez combien de phrases syntaxiques autonomes sont contenues dans la phrase graphique ;

C4 délimitez les phrases syntaxiques autonomes à l'aide de crochets.

Une phrase graphique commence par une majuscule et finit par un point.

E XEMPLES

[Depuis sa plus tendre enfance, elle rêvait de devenir médecin].

nombre de verbes conjugués		nombre de subordonnants		nombre de phrases syntaxiques autonomes
1	−	0	=	1

[Tout le monde savait (qu')il était incapable d'atteindre des objectifs aussi peu réalistes].

nombre de verbes conjugués		nombre de subordonnants		nombre de phrases syntaxiques autonomes
2	−	1	=	1

a) Nous ne voulons surtout pas vous faire perdre votre temps.

nombre de verbes conjugués		nombre de subordonnants		nombre de phrases syntaxiques autonomes
	−		=	

b) Même les alpinistes les plus aguerris hésitent à s'attaquer à ce sommet.

nombre de verbes conjugués		nombre de subordonnants		nombre de phrases syntaxiques autonomes
	−		=	

c) *Lorsque tu partiras, n'oublie pas de fermer la porte derrière toi.*

nombre de verbes conjugués		nombre de subordonnants		nombre de phrases syntaxiques autonomes
☐	—	☐	═	☐

d) *Tes parents se sont privés toute leur vie pour que tu puisses aller à l'université, donc tu n'as pas le droit de prendre tes obligations d'étudiant à la légère.*

nombre de verbes conjugués		nombre de subordonnants		nombre de phrases syntaxiques autonomes
☐	—	☐	═	☐

e) *Les journées raccourcissent, les arbres perdent leurs feuilles, les gens courent s'enfermer chez eux.*

nombre de verbes conjugués		nombre de subordonnants		nombre de phrases syntaxiques autonomes
☐	—	☐	═	☐

f) *Depuis qu'il était sorti de l'hôpital, ses amis voyaient bien que, quoi qu'ils fassent pour le distraire, il était constamment triste.*

nombre de verbes conjugués		nombre de subordonnants		nombre de phrases syntaxiques autonomes
☐	—	☐	═	☐

g) *Elle avait décidé de garder la maison de ses grands-parents parce qu'elle ne parvenait pas à se faire à l'idée que des étrangers s'installeraient devant le foyer qui avait illuminé ses soirées d'enfance, et elle y parvint.*

nombre de verbes conjugués		nombre de subordonnants		nombre de phrases syntaxiques autonomes
☐	—	☐	═	☐

h) *Lorsque j'avais quatre ans, tous les soirs, je m'endormais en tremblant, persuadée d'entendre sous mon lit le raclement des griffes du monstre qui s'y cachait.*

nombre de verbes conjugués		nombre de subordonnants		nombre de phrases syntaxiques autonomes
☐	—	☐	═	☐

i) *Trop inspirée par les contes de fées qu'on me lisait, je rêvais de découvrir, dans le cinq et demi que nous habitions, un escalier secret menant vers une tour oubliée et j'arpentais le couloir avec déception, en y découvrant seulement les portes des pièces que je connaissais trop bien.*

nombre de verbes conjugués		nombre de subordonnants		nombre de phrases syntaxiques autonomes
☐	—	☐	═	☐

j) *Un jour enfin, mes envies de fantastique furent rassasiées : en vacances chez ma grand-mère, je découvris, dans le sous-sol de sa maison, une porte dérobée qui s'ouvrait, à mon plus grand ravissement, sur une volée de marches ; je les descendis, le cœur battant, et je pénétrai triomphalement dans sa chambre froide, emplie de pots de marinades.*

nombre de verbes conjugués		nombre de subordonnants		nombre de phrases syntaxiques autonomes
☐	**–**	☐	**=**	☐

! Il arrive que, pour des raisons stylistiques, un subordonnant soit sous-entendu. Il faut le rétablir avant d'analyser la phrase.

Le pensionnaire (qui) est arrivé hier et doit repartir demain est bizarre.

Le pensionnaire (qui) est arrivé hier et (qui) doit repartir demain est bizarre.

nombre de verbes conjugués		nombre de subordonnants		nombre de phrases syntaxiques autonomes
3	**–**	2	**=**	1

◎ LE VERBE PRINCIPAL ◎

nombre de phrases syntaxiques autonomes	**=**	nombre de verbes conjugués	**–**	nombre de subordonnants

Cette formule nous permet de déduire que chaque phrase syntaxique autonome doit contenir un verbe de plus que le nombre de subordonnants. Ce verbe conjugué, qui n'est pas directement associé à un subordonnant placé avant lui, est **le verbe principal** de la phrase.

Pour le trouver, il faut identifier tous **les verbes conjugués** de la phrase et tous **les subordonnants**, puis repérer parmi ces verbes celui qu'on ne peut associer à aucun subordonnant.

*(Pendant que) j'étais en voyage, ma mère m'**a** écrit (qu')elle voulait épouser un homme (qu')elle venait de rencontrer.*

C'est *a* qui n'est associé à aucun subordonnant. C'est donc lui, le verbe principal.

9 Dans chacune des phrases graphiques suivantes,

C1 soulignez les verbes conjugués ;

C2 encerclez les subordonnants (vous trouverez une liste de subordonnants en annexe) ;

C3 reliez chaque subordonnant au verbe qui lui est associé ;

C4 soulignez deux fois le verbe principal.

! N'oubliez pas de rétablir les subordonnants sous-entendus, le cas échéant.

EXEMPLE

Les avocats qui défendent l'accusé sont certains qu'il ne pourra être innocenté.

a) *Ce petit garçon, qui s'est gavé de sucreries, est absolument insupportable.*

b) *Que je me sois trompé en remplissant mon formulaire de déclaration de revenus a eu des conséquences abominables.*

c) *Pendant toutes les années que j'ai passées dans cette ville, je n'ai jamais trouvé qu'il s'y déroulait des choses étranges.*

d) *Quand tu te prélasseras sur la plage ensoleillée, chatouillée par la brise tiède du large, pense à nous qui travaillons et grelottons de froid.*

e) *Lorsque les vacances arrivent, Pierre est toujours angoissé à l'idée qu'il aura autant de temps libre.*

f) *Marie, quant à elle, ne rêve que de plages où elle pourra se dorer au soleil à longueur de journée.*

g) *Vu qu'elle n'a pas répondu au téléphone, je suppose qu'elle est déjà partie de chez elle et qu'elle va arriver d'une minute à l'autre.*

h) *Joseph ne veut pas parler de la raison pour laquelle il a abandonné ses études.*

i) *Depuis que je fais du ski, je me rends compte que l'hiver est une saison agréable et qu'il fait beaucoup plus beau que je le croyais, même en janvier.*

j) *Il suit des cours pour obtenir son diplôme de pilote parce qu'il aimerait bien en faire son métier.*

◎ L'INSERTION DE PHRASES ◎

Il arrive qu'on insère une phrase dans une phrase syntaxique autonome sans l'aide d'un subordonnant, en l'isolant par **des virgules**. À des fins d'analyse, cette phrase peut être supprimée de la phrase dans laquelle elle a été insérée.

Je crois, murmura-t-elle, que les enfants dorment enfin.
Le segment *murmura-t-elle* peut être supprimé de la phrase syntaxique autonome, qui devient alors : *Je crois que les enfants dorment enfin.*

g

10 Dans les phrases suivantes, barrez la phrase insérée qui pourrait facilement être retranchée de la phrase syntaxique autonome.

EXEMPLE

Ne reviens jamais dans cette maison, ~~dit elle entre deux sanglots,~~ si tu ne veux pas qu'un malheur arrive.

a) *L'hiver, j'en ai bien peur, sera long.*

b) *L'avenir, prétend-on, est extrêmement incertain.*

c) *La plupart des écrivains réalistes, me semble-t-il, sont en réaction contre l'égocentrisme forcené des écrivains romantiques.*

d) *Je te préviens, lui hurla-t-elle en se tenant sur le pas de la porte, que, si ce soir cette chambre est encore en plein chaos, une guerre mondiale va éclater dans cette maison.*

e) *Demain soir, lui murmura-t-elle à l'oreille, viens me rejoindre dans ma chambre.*

1.1.3 La jonction des phrases syntaxiques autonomes

◉ LA PONCTUATION ENTRE LES PHRASES SYNTAXIQUES AUTONOMES ◉

Maintenant que nous savons comment délimiter les phrases syntaxiques autonomes, il faut examiner la façon dont elles s'enchaînent.

Jonction incorrecte de phrases

Phrase syntaxique autonome	phrase syntaxique autonome	phrase syntaxique autonome	phrase syntaxique autonome ●

Les phrases syntaxiques autonomes doivent absolument être jointes par un élément.

Le point

Phrase syntaxique autonome	●	phrase syntaxique autonome	●	phrase syntaxique autonome	●

J'ai gagné de l'argent à la loterie. Ça ne m'était jamais arrivé. Je me sens comme en plein rêve.
Jonction de phrases dites graphiques (qui commencent par une majuscule et se terminent par un point).

La virgule

Phrase syntaxique autonome	,	phrase syntaxique autonome	●

Les élèves sont en vacances, les professeurs corrigent les examens.

Phrase syntaxique autonome	**,**	phrase syntaxique autonome	*et*	phrase syntaxique autonome	**.**

*Le muguet envahit mon jardin, les lilas sont en fleur **et** les narcisses commencent à se faner.*
Jonction de phrases syntaxiques autonomes.

Le point-virgule

Phrase syntaxique autonome	**;**	phrase syntaxique autonome	**.**

Il pleuvait ; il n'est pas sorti.
Jonction de phrases syntaxiques autonomes.

11 Dans le texte suivant, séparez les phrases par des points et ajoutez les majuscules.

Les vacances vont bientôt arriver cette perspective me fait bondir de joie je vais enfin pouvoir me consacrer à mon passe-temps favori je partirai dans une réserve ornithologique pour observer des milliers d'oiseaux c'est un endroit calme et reposant on n'y entend que les bruits de la nature je pourrai y oublier tous les soucis du quotidien.

On utilise le deux-points et non le point-virgule pour introduire une citation ou un exemple.
Dans Les Fourberies de Scapin, *Géronte répète inlassablement à Scapin :*
« Que diable allait-il faire dans cette galère ? »

12 Dans le texte suivant,

C1 encerclez les subordonnants (pour ce faire, servez-vous de la liste en annexe) ;

C2 soulignez les verbes conjugués ;

C3 délimitez les phrases syntaxiques autonomes par des crochets ;

C4 séparez les phrases syntaxiques autonomes par un point et ajoutez les majuscules.

Les auteurs réalistes marquent leur opposition aux excès romantiques ils considèrent en effet que les grandes envolées lyriques de leurs prédécesseurs étaient trop souvent risibles ils désirent donc dépeindre la société avec moins de fantaisie afin d'atteindre une objectivité plus grande au XIXe siècle où l'on est encore assez conservateur, ces descriptions très détaillées choqueront souvent.

⊙ LA COORDINATION DE PHRASES SYNTAXIQUES AUTONOMES ⊙

| Phrase syntaxique autonome | **et** | phrase syntaxique autonome | ● |

[Marie va faire les courses] **et** *[elle prépare le souper].*

| Phrase syntaxique autonome | **ou** | phrase syntaxique autonome | ● |

[Ludovic doit étudier sérieusement] **ou** *[il devra repasser son examen].*

| Phrase syntaxique autonome | **, mais** | phrase syntaxique autonome | ● |

[Viviane pensait être en forme], **mais** *[elle n'a pas pu suivre le groupe de randonneurs].*

| Phrase syntaxique autonome | **, car** | phrase syntaxique autonome | ● |

[La promenade a été annulée], **car** *[il faisait trop froid].*

g

13 Dans les phrases suivantes,

   C1 soulignez les verbes conjugués ;

   C2 entourez les coordonnants d'un triangle, à l'aide de la liste en annexe ;

   C3 délimitez les phrases syntaxiques autonomes par des crochets.

EXEMPLE

[Élodie arrivera à l'heure] △ou△ *[elle ne trouvera personne].*

Pg. 16 in GC

a) *[Ta mère a téléphoné pour te parler,* △mais△ *tu n'étais pas encore arrivé.]*

b) *[Ton garde-manger est vide,* △donc△ *tu dois sortir et aller faire des courses.]*

c) *[Martin alla s'entraîner,* △puis△ *il rentra chez lui le plus rapidement possible].*

d) *[Le coup a été porté à droite,* △or△ *le suspect est gaucher.]*

e) *[Les enfants sont souvent bruyants* △et△ *à la longue, ça peut être étourdissant.]*

14 Dans les phrases suivantes,

C1 soulignez les verbes conjugués;

C2 entourez les coordonnants d'un triangle et encerclez les subordonnants (pour ce faire, servez-vous de la liste en annexe);

C3 délimitez les phrases syntaxiques autonomes par des crochets;

C4 soulignez deux fois le verbe principal de chaque phrase syntaxique autonome.

E X E M P L E

[La maison (où) j'habite appartenait à mes grands-parents], △et [je ne la vendrai jamais].

a) Le disque dont je t'ai parlé sort aujourd'hui et je vais de ce pas me l'acheter.

b) Quand il est venu prendre rendez-vous, il avait l'air très pressé.

c) Je penserai à notre projet pendant que tu feras ce travail.

d) Nous croyions que tu étais partie en voyage, mais il nous a dit que tu étais chez toi.

e) Si Franck réussit ses examens, ses parents lui paieront un voyage en Europe.

f) Mon grand-père est de plus en plus malade, mais il ne veut pas aller à l'hôpital parce qu'il a peur de ne jamais revenir chez lui.

g) La lettre que j'ai reçue ce matin m'annonçait que mon manuscrit a été choisi par un éditeur et qu'il sera publié l'année prochaine.

h) J'ai hâte que mon père me donne sa voiture, car je pourrai aller camper où bon me semble.

i) Lorsque nous nous sommes lancés dans ce projet, nous ne savions pas qu'il allait se passer autant d'événements qui nous empêcheraient de le mener à terme.

j) Il viendra chez moi ou je me rendrai chez lui, ça dépend de notre emploi du temps.

⊙ LA PONCTUATION ET LES COORDONNANTS ⊙

Les coordonnants autres que **et**, **ni** et **ou** sont généralement précédés d'une virgule.

*Les ruines sont très prisées chez les romantiques, **mais** tous n'en ont pas dans leur jardin. On qualifie parfois leurs romans de gothiques, **car** l'action s'y déroule souvent dans un sombre château du Moyen Âge.*

Si les coordonnants sont suivis d'**un groupe de mots encadré par des virgules**, on peut enlever la virgule qui les précède.

Elle a l'habitude d'être ponctuelle mais, depuis quelque temps, elle est toujours en retard.

15 Dans le texte suivant,

- **C1** soulignez les verbes conjugués ;
- **C2** entourez les coordonnants d'un triangle et encerclez les subordonnants (pour ce faire, servez-vous de la liste en annexe) ;
- **C3** encadrez les verbes principaux ;
- **C4** délimitez les phrases syntaxiques autonomes par des crochets ;
- **C5** séparez les phrases syntaxiques autonomes par un signe de ponctuation.

Pour les romantiques, la nature a presque un statut de personnage et ils n'hésitent pas à lui prêter des sentiments elle devient ainsi protectrice ou menaçante ce qui permet aux auteurs de générer des atmosphères particulièrement évocatrices les arbres battent furieusement dans le vent les nuages s'enfuient en pleurant les éclairs déchirent le ciel Tous ces éléments déchaînés expriment les tourments des héros car ceux-ci sont trop souvent aux prises avec un destin hostile.

⊙ LA VALEUR SÉMANTIQUE DES MARQUEURS DE RELATION ⊙

Les marqueurs de relation établissent un rapport sémantique très important entre les phrases. Il faut donc les choisir soigneusement en déterminant correctement le sens de la relation à établir entre les phrases.

Dans la liste en annexe, à chacun des marqueurs est attribuée une valeur sémantique dont il faut absolument tenir compte au moment de choisir un marqueur.

16 Lisez attentivement les deux textes qui suivent.

Quand Marie et François se rencontrèrent chez des amis, ce fut le coup de foudre absolu. Ils étaient très différents, mais ils se marièrent rapidement. Même si leurs amis pensaient que ça ne durerait pas, ils avaient raison.

Marie et François se rencontrèrent chez des amis. Ce fut le coup de foudre absolu, pourtant ils étaient très différents. Ils se marièrent rapidement. Leurs amis pensaient que ça ne durerait pas et ils avaient raison.

a) Selon vous, Marie et François ont-ils vécu un mariage heureux? La réponse est-elle la même pour les deux textes?

_____

b) Qu'est-ce qui change d'un texte à l'autre?

_____

Exercices de récapitulation

Encerclez la lettre correspondant à la bonne réponse.

10

1. Dans quelle phrase le mot souligné est-il un verbe conjugué?
- **a)** *Les élèves, en se <u>levant</u>, ont surpris le professeur.*
- **b)** *J'ai pu <u>admirer</u> à loisir les tableaux de Monet.*
- **c)** *Le <u>travail</u> que j'ai rendu était impeccable.*
- **d)** *C'<u>est</u> toi qui as eu raison, finalement.*

2. Combien y a-t-il de verbes conjugués dans la phrase graphique ci-dessous?

Dès son réveil, il avait senti que la journée allait lui réserver des surprises de taille et qu'il devrait combattre sans arrêt pour ignorer l'appel de son oreiller.

a) 3   **b)** 4   **c)** 6   **d)** 8

3. Quelle est la phrase qui contient une erreur?
- **a)** *J'ai fini ce livre la semaine passée.*
- **b)** *Il a fait tout ce qu'il a pu.*
- **c)** *Marc a réussit tout ce qu'il a entrepris.*
- **d)** *Nous sommes partis à l'aube.*

4. Quelle phrase ne contient aucune erreur?
- **a)** *L'entretient de cet appareil est coûteux.*
- **b)** *L'ennuie et le sommeille m'ont assaillie dès ses premiers mots.*
- **c)** *Après plusieurs essaies, il a renoncé à finir ce travail.*
- **d)** *Des cris de joie ont retenti à midi.*

5. Quelle phrase ne contient aucune erreur ?

  a) *Tous les mois de mai, M. Tremblay défie son voisin d'avoir une haie mieux taillée que la sienne, ce qui n'est pas peut dire.*

  b) *Tous les ans, ont voit cette rivalité un peu enfantine se raviver.*

  c) *Peu à peu, leurs tactiques sont devenues de plus en plus efficaces.*

  d) *Finalement, M. Tremblay, un peu orgueilleux, a acheté un sécateur de luxe, tandis que son voisin s'est permis d'engager un homme a tout faire.*

6. Quelle phrase graphique ne contient aucun subordonnant ?

  a) *Pendant que je dors, je ne pense à rien.*

  b) *Le livre dont tu parles n'est plus disponible.*

  c) *Il hésite, car il pense ne pas pouvoir venir.*

  d) *L'époque où ces événements ont eu lieu est bien révolue.*

7. Dans quelle phrase le mot souligné est-il le verbe principal ?

  a) *Maintenant que j'<u>étudie</u> au cégep, je n'ai plus le temps de voir les amis que je fréquentais quand j'étais à l'école secondaire.*

  b) *Si tu veux, nous <u>pourrions</u> aller au cinéma cet après-midi.*

  c) *Depuis quelque temps, il dit <u>avoir</u> mal à la jambe.*

  d) *Sophie et Mélissa, quoi qu'elles en pensent, sont <u>arrivées</u> en retard au cours d'anatomie.*

8. Quelle phrase graphique ne contient aucun coordonnant ?

  a) *Il a réfléchi à tout cela et il hésite encore.*

  b) *Il veut quitter la ville ou il veut démissionner ?*

  c) *Le chemin où il est passé est sinueux.*

  d) *Il sait cuisiner, mais il ne le fait pas souvent.*

9. Quelle phrase graphique est ponctuée correctement ?

  a) *Je pense à toi je m'ennuie.*

  b) *J'ai fini ma valise, car plus rien n'y entre.*

  c) *Nous avons attendu longtemps le bateau, et nous nous sommes endormis.*

  d) *Ils ont monté leur tente mais, la pluie s'est tout de suite mise à tomber.*

10. Parmi les phrases graphiques suivantes, quelle est celle qui contient trois phrases syntaxiques autonomes ?

  a) *En remuant ces souvenirs et en discutant du passé, nous avons ravivé de vieux litiges.*

  b) *Pendant que les flocons s'amoncellent, que le vent gémit et que le mercure dégringole, nous sirotons un délicieux chocolat chaud.*

  c) *Renaud hésite, tourne la page et continue sa lecture.*

  d) *Lorsque le printemps arrivera, le petit jardin enseveli sous la neige surgira, enfin libéré et prêt à fleurir.*

1.2 SYNTHÈSE PRATIQUE

⊙ PHRASES INCOMPLÈTES ⊙

nombre de phrases syntaxiques autonomes	**=**	nombre de verbes conjugués	**−**	nombre de subordonnants

Cette formule montre qu'une phrase syntaxique autonome doit contenir plus de verbes conjugués que de subordonnants. Si ce n'est pas le cas, la phrase est syntaxiquement incorrecte.

1 Dans les phrases suivantes,

C1 soulignez les verbes conjugués ;

C2 encerclez les subordonnants ;

C3 remplissez les cases ;

C4 déterminez si la phrase est correctement construite ou non ;

C5 si elle est fautive, corrigez-la et récrivez-la ;

C6 dans votre phrase, soulignez les verbes conjugués ;

C7 encerclez les subordonnants ;

C8 remplissez de nouveau les cases pour vérifier si la phrase est correctement construite.

EXEMPLE

Tous les poètes, (quelle que) *soit l'époque* (à laquelle) *ils* <u>vivent</u>, *cherchant à exprimer un sentiment de solitude.*

nombre de verbes conjugués		nombre de subordonnants		nombre de phrases syntaxiques autonomes
2	**−**	2	**=**	0

Construction correcte : Oui ☐   Non ☒

Correction : <u>*Tous les poètes,*</u> (*quelle que*) <u>*soit*</u> *l'époque* (*à laquelle*) *ils* <u>*vivent*</u>, <u>*cherchent*</u> *à exprimer un sentiment de solitude.*

nombre de verbes conjugués		nombre de subordonnants		nombre de phrases syntaxiques autonomes
3	**−**	2	**=**	1

a) *Pendant que la nuit tombe, que la forêt devient mystérieuse et que notre héros marche au hasard à la recherche d'un refuge où il pourrait passer la nuit.*

nombre de verbes conjugués		nombre de subordonnants		nombre de phrases syntaxiques autonomes
☐	—	☐	=	☐

Construction correcte : Oui ☐ Non ☐

Correction : _____

_____

nombre de verbes conjugués		nombre de subordonnants		nombre de phrases syntaxiques autonomes
☐	—	☐	=	☐

b) *Puisque Cortázar est un auteur argentin de nouvelles fantastiques et puisqu'il a récrit plusieurs fois* Continuité des parcs, *il réussit à tenir son lecteur en haleine.*

nombre de verbes conjugués		nombre de subordonnants		nombre de phrases syntaxiques autonomes
☐	—	☐	=	☐

Construction correcte : Oui ☐ Non ☐

Correction : _____

_____

nombre de verbes conjugués		nombre de subordonnants		nombre de phrases syntaxiques autonomes
☐	—	☐	=	☐

c) *Dans le but de créer un univers fantastique et de laisser le lecteur dans l'indécision.*

nombre de verbes conjugués		nombre de subordonnants		nombre de phrases syntaxiques autonomes
☐	—	☐	=	☐

Construction correcte : Oui ☐ Non ☐

Correction : _____

_____

nombre de verbes conjugués		nombre de subordonnants		nombre de phrases syntaxiques autonomes
☐	—	☐	=	☐

d) *Jean-Baptiste Poquelin, que l'on connaît sous le nom de Molière, a écrit de nombreuses comédies qui se moquent des bourgeois.*

nombre de verbes
conjugués

☐ ▬ ☐ ═ ☐

nombre de
subordonnants

nombre de phrases
syntaxiques autonomes

Construction correcte : Oui ☐ Non ☐

Correction : _____

_____

nombre de verbes
conjugués

☐ ▬ ☐ ═ ☐

nombre de
subordonnants

nombre de phrases
syntaxiques autonomes

e) *Lorsque les romantiques mettent leur cœur à nu, ils dévoilent des sentiments en accord avec la nature qui les entoure.*

nombre de verbes
conjugués

☐ ▬ ☐ ═ ☐

nombre de
subordonnants

nombre de phrases
syntaxiques autonomes

Construction correcte : Oui ☐ Non ☐

Correction : _____

_____

nombre de verbes
conjugués

☐ ▬ ☐ ═ ☐

nombre de
subordonnants

nombre de phrases
syntaxiques autonomes

f) *Quand Flaubert a ri des bourgeois en montrant leur hypocrisie et quand il a également critiqué les gens de la campagne en soulignant leur côté frustre.*

nombre de verbes
conjugués

☐ ▬ ☐ ═ ☐

nombre de
subordonnants

nombre de phrases
syntaxiques autonomes

Construction correcte : Oui ☐ Non ☐

Correction : _____

_____

nombre de verbes
conjugués

☐ ▬ ☐ ═ ☐

nombre de
subordonnants

nombre de phrases
syntaxiques autonomes

g) *Ce personnage, qui est présenté comme un assassin, ne faisant cependant rien qui soit vraiment lié au meurtre qu'il prépare.*

nombre de verbes conjugués [ ] — nombre de subordonnants [ ] = nombre de phrases syntaxiques autonomes [ ]

Construction correcte : Oui [ ] Non [ ]

Correction : _____

_____

nombre de verbes conjugués [ ] — nombre de subordonnants [ ] = nombre de phrases syntaxiques autonomes [ ]

h) *En se servant d'animaux pour représenter le roi et les courtisans et en critiquant la société à travers ce code assez transparent.*

nombre de verbes conjugués [ ] — nombre de subordonnants [ ] = nombre de phrases syntaxiques autonomes [ ]

Construction correcte : Oui [ ] Non [ ]

Correction : _____

_____

nombre de verbes conjugués [ ] — nombre de subordonnants [ ] = nombre de phrases syntaxiques autonomes [ ]

i) *Puisque Maupassant est un auteur réaliste, qui essaie toujours de décrire minutieusement le milieu dont sont issus ses personnages.*

nombre de verbes conjugués [ ] — nombre de subordonnants [ ] = nombre de phrases syntaxiques autonomes [ ]

Construction correcte : Oui [ ] Non [ ]

Correction : _____

_____

nombre de verbes conjugués [ ] — nombre de subordonnants [ ] = nombre de phrases syntaxiques autonomes [ ]

j) *Quand Molière critique l'Église dans ses comédies souvent très prisées de la cour et que La Fontaine critique les nobles dans des fables qui, en apparence, ne parlent que d'animaux.*

nombre de verbes conjugués		nombre de subordonnants		nombre de phrases syntaxiques autonomes
☐	―	☐	=	☐

Construction correcte : Oui ☐ Non ☐

Correction : _____

_____

nombre de verbes conjugués		nombre de subordonnants		nombre de phrases syntaxiques autonomes
☐	―	☐	=	☐

2 Le texte suivant contient 10 fautes en plus de l'exemple.

C1 Soulignez-les et numérotez-les dans le texte.

C2 Corrigez-les dans le tableau prévu à cet effet et précisez la nature de l'erreur.

Flaubert, auteur réaliste du XIXe siècle. D'abord attiré par les romantiques dont il emprunte les phrases emphatiques, il développe finalement, à la suite des conseilles de ses amis, un style beaucoup plus neutre. En retravaillant toutes ses phrases, mot par mot, longuement. Cette façon de dire plus sobre fera de lui l'un des écrivains principaux du réalisme. Il travail pendant plus de quatre ans sur *Madame Bovary* ce roman, qui raconte l'histoire d'une jeune bourgeoise malheureuse, à été mal accueilli par la critique, qui a crié au scandale. Il constitue néanmoins un des romans réalistes les plus lut dans le monde. Dans sa correspondance, Flaubert s'écrie; «Madame Bovary, c'est moi!» D'ailleurs, ont voit qu'il s'est beaucoup investit dans ce roman car, son héroïne présente une psychologie complexe.

NATURE DE L'ERREUR	CORRECTION DE L'ERREUR
Phrase incomplète	*Flaubert est un auteur réaliste du XIXᵉ siècle.*
1.	
2.	
3.	
4.	
5.	
6.	
7.	
8.	
9.	
10.	

1.3 ATELIER DE RÉDACTION

1 Rédigez les phrases graphiques décrites ci-dessous. Dans chaque cas,

C1 respectez la contrainte;

C2 soulignez les verbes conjugués;

C3 entourez les coordonnants d'un triangle et encerclez les subordonnants (pour ce faire, servez-vous de la liste en annexe);

C4 délimitez les phrases syntaxiques autonomes par des crochets.

a) Rédigez une phrase graphique contenant deux phrases syntaxiques autonomes coordonnées.

_____

_____

b) Rédigez une phrase graphique contenant deux verbes conjugués, mais une seule phrase syntaxique autonome.

_____

_____

c) Rédigez une phrase graphique contenant trois verbes conjugués et deux phrases syntaxiques autonomes.

_____

_____

d) Rédigez une phrase graphique contenant quatre verbes conjugués et deux phrases syntaxiques autonomes coordonnées.

_____

_____

e) Rédigez une phrase graphique contenant trois verbes et trois phrases syntaxiques autonomes, mais aucun coordonnant.

_____

_____

2 À partir d'un sujet de rédaction en annexe, rédigez un texte de 150 mots en respectant les consignes suivantes.

C1 Le texte doit comprendre entre 8 et 10 phrases syntaxiques autonomes.

C2 Délimitez les phrases syntaxiques autonomes. Pour ce faire :
– soulignez les verbes conjugués ;
– encerclez les subordonnants ;
– encadrez les phrases syntaxiques autonomes par des crochets ;
– numérotez-les ;
– entourez d'un triangle les coordonnants qui les relient, s'il y a lieu.

C3 Vérifiez la ponctuation entre les phrases syntaxiques autonomes.

N'oubliez pas de corriger les fautes !

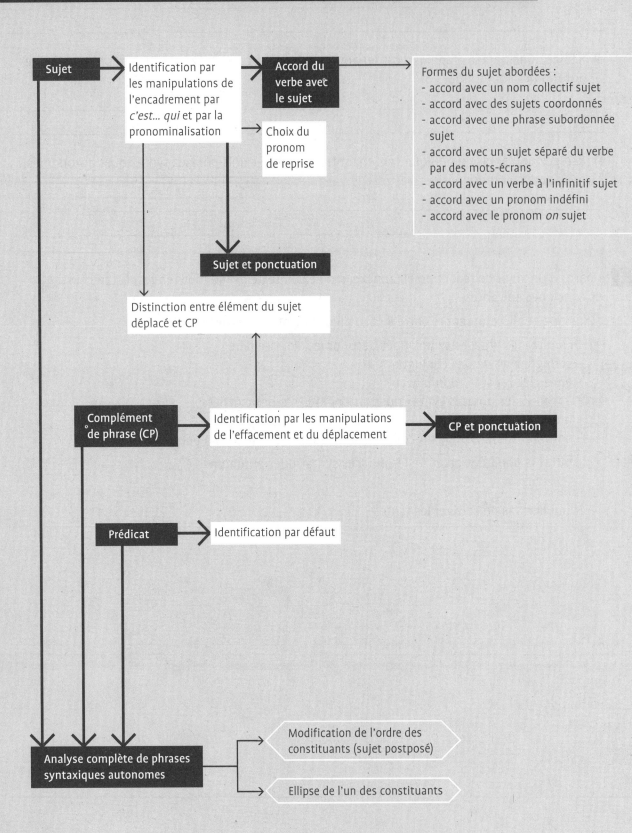

Sujet → Identification par les manipulations de l'encadrement par *c'est... qui* et par la pronominalisation → Accord du verbe avec le sujet

Formes du sujet abordées :
- accord avec un nom collectif sujet
- accord avec des sujets coordonnés
- accord avec une phrase subordonnée sujet
- accord avec un sujet séparé du verbe par des mots-écrans
- accord avec un verbe à l'infinitif sujet
- accord avec un pronom indéfini
- accord avec le pronom *on* sujet

Choix du pronom de reprise

Sujet et ponctuation

Distinction entre élément du sujet déplacé et CP

Complément de phrase (CP) → Identification par les manipulations de l'effacement et du déplacement → CP et ponctuation

Prédicat → Identification par défaut

Analyse complète de phrases syntaxiques autonomes → Modification de l'ordre des constituants (sujet postposé)

Ellipse de l'un des constituants

THÉORIE

Maintenant que nous savons comment délimiter les phrases autonomes et repérer leur verbe principal, nous pouvons nous pencher sur ce qu'elles contiennent.

La plupart des phrases syntaxiques autonomes sont construites sur un même modèle, appelé *modèle de base*. Elles sont alors formées de plusieurs constituants : un sujet, un prédicat et, éventuellement, un ou plusieurs compléments de phrase.

Tous les mots de la phrase appartiennent à l'un ou l'autre de ces constituants.

Le sujet et le prédicat sont des constituants obligatoires, qu'on ne peut supprimer, alors que le complément de phrase est un constituant facultatif.

Du point de vue du sens :

- le sujet exprime de qui ou de quoi parle la phrase ;
- le prédicat fournit une information sur le sujet ;
- le ou les compléments de phrase apportent une ou des précisions sur ce qu'exprime l'ensemble de la phrase.

P = SUJET + PRÉDICAT (+ COMPLÉMENT(S) DE PHRASE)

Il existe des phrases qui ne correspondent pas au modèle de base ; on les appelle des phrases à construction particulière. On ne peut les découper d'après leurs principaux constituants.

Voici les principaux auteurs du Moyen Âge.
Pourquoi en chercher d'autres ?

Dans les exercices qui suivent,

- nous encadrerons le sujet ;
- nous soulignerons le prédicat ;
- nous mettrons les compléments de phrase entre parenthèses.

DÉMARCHE

Pour écrire sans fautes, vous devez, entre autres :

- identifier les principaux constituants d'une phrase et connaître les principes qui guident leur utilisation ;
- appliquer ces principes dans des phrases complètes et relever les erreurs ;
- construire des phrases et des textes qui respectent ces principes.

2.1 EXPLORATION THÉORIQUE

2.1.1 Le sujet

⊙ LES STRATÉGIES D'IDENTIFICATION ⊙

Après avoir trouvé le verbe principal, il faut trouver son sujet.

Deux manipulations permettent de reconnaître et de délimiter le sujet :
- encadrement par *c'est... qui* ou *ce sont... qui* ;
- pronominalisation : remplacement par un pronom de conjugaison (*je, tu, il, elle, nous, vous, ils, elles, cela*).

Encadrement par *c'est... qui* ou *ce sont... qui*

Mon cousin a épousé une Néo-Zélandaise.

C'est mon cousin **qui** a épousé une Néo-Zélandaise.

La jeune femme, qui pensait pourtant retourner chez elle, s'est installée ici.

C'est la jeune femme, qui pensait pourtant retourner chez elle, **qui** s'est installée ici.

Il l'a rencontrée chez des amis communs.

C'est lui **qui** l'a rencontrée chez des amis communs.

(Ici, le pronom sujet *il* se transforme en pronom objet *lui* pendant la manipulation.)

Pronominalisation : remplacement par un pronom de conjugaison (*je, tu, il, elle, nous, vous, ils, elles, cela*)

Mon cousin a épousé une Néo-Zélandaise.

Il a épousé une Néo-Zélandaise.

La jeune femme, qui pensait pourtant retourner chez elle, s'est installée ici.

Elle s'est installée ici.

1 Pour chacune des phrases syntaxiques autonomes suivantes,

C1 effectuez les deux manipulations qui permettent d'identifier le sujet ;

C2 encadrez le sujet.

EXEMPLE

Ta réaction me paraît normale.

Encadrement par *c'est... qui* ou *ce sont... qui* : **C'est** ta réaction **qui** me paraît normale.

Pronominalisation : **Elle** me paraît normale.

Ta réaction me paraît normale.

Noyau / *sexist !*

GN / sujet

a) *Le nouveau* (régime) *de ma mère la rend insupportable.*

Encadrement par |c'est...| *qui ou ce sont... qui :* _____

_____ il la rend insupportable _____

_____

Pronominalisation : _____

noyau

Groupe infinitif ← joue un rôle d'une groupe N

b) (Manger) *constitue le passe-temps préféré de mon père.*

Encadrement par |c'est.| *qui ou ce sont... qui :* c'est manger qui constitue ...

Cela constitue le passe-temps préféré de mon père.

Pronominalisation : Cela

noyau → GN

c) *Cette* (recette) *complexe et longue à réaliser, ne donne même pas un résultat appétissant.*

Encadrement par (c'est...) *qui ou ce sont... qui :* c'est cette recette ...

_____

Pronominalisation : Elle

GN → sujet

d) *Chaque année,* *de nouvelles théories sur les aliments à éviter ou à consommer sont publiées.*

Encadrement par *c'est... qui ou* (ce sont) *... qui :* ce sont chaque année, ce sont

de nouvelles ...

Pronominalisation : Elle sont publiée

sujet

e) *Pour la réception de demain,* *tu prépareras ton délicieux gâteau au chocolat noir.*

Encadrement par (c'est) *.. qui ou ce sont... qui :* Pour la reception de demain

c'est toi qui préparas ...

Pronominalisation : très occupé pour vous écrire

2 Pour chacune des phrases syntaxiques autonomes suivantes,

C1 effectuez les deux manipulations qui permettent d'identifier le sujet ;

C2 encadrez le sujet.

! Si vous éprouvez des difficultés,
assurez-vous que vous cherchez le sujet
du verbe principal de la phrase.

EXEMPLE

Le film que j'ai regardé hier soir était vraiment loufoque.

C'est le film que j'ai regardé hier soir qui était vraiment loufoque.

Il était vraiment loufoque.

Le film que j'ai regardé hier soir était vraiment loufoque.

a) *Le voyage en Italie dont nous rêvons ne pourra se faire cet été.*

postuler à l'école d'enseignants

b) *Plusieurs des personnes qui s'étaient déplacées n'ont pu assister au spectacle.*

conseils sur mon application

c) *Que tu sois contente me soulage.*

dernière année à l'Université Queens

d) *L'assemblage que requiert cette bibliothèque en morceaux rendrait fou tout humain normalement constitué.*

vous devriez être ici et les célébrer avec moi

e) *La lune qui se couche lentement derrière les cimes des arbres éclaire la forêt d'une lueur spectrale.*

_____

_____

_____

_____

◉ L'ACCORD DU VERBE AVEC SON SUJET ◉

La pronominalisation du sujet permet de vérifier que le verbe est correctement accordé en personne et en nombre avec son sujet.

L'année prochaine, **papa et toi** *serez à la retraite.*

L'année prochaine, **vous** *serez à la retraite.*

g

3 Dans chacune des phrases suivantes,

   C1 encadrez le sujet ;

   C2 pronominalisez-le ;

   C3 choisissez le verbe correctement accordé.

E X E M P L E

Le plus petit de ces enfants *(ont, a) encore besoin de beaucoup de sommeil.*

Pronom de remplacement : _____ *il* _____ Verbe correctement accordé : _____ *a* _____

a) *Ma sœur, membre de ce club de randonneurs, (marchent, marche) des centaines de kilomètres par année.*

Pronom de remplacement : ___ Elle ___ Verbe correctement accordé : ___ marche ___

b) *Tout le monde (a, ont) applaudi cet exploit.*

Pronom de remplacement : ___ ils ___ Verbe correctement accordé : ___ ont ___

c) *Me remémorer ces souvenirs (constituent, constitue) un exercice pénible.*

Pronom de remplacement : ___ déjà ___ Verbe correctement accordé : ___ constitue ___

d) *Toute la classe (s'amusait, s'amusaient) à faire marcher le professeur.*

Pronom de remplacement : ___ ils ___ Verbe correctement accordé : ___ s'amusaient ___

e) *Chaque vendredi, Martin et moi (ont, avons) commencé à faire du ski.*

Pronom de remplacement : ___ nous ___ Verbe correctement accordé : ___ avons ___

f) *Cette année, plusieurs (croit, croient) que l'hiver sera éternel.*

Pronom de remplacement : ___ ils ___ Verbe correctement accordé : ___ croient ___

Marco, toutes les qualités que j'aimais chez toi

g) *Cuisiner pour trente personnes (représentera, représenteront) un défi de taille pour ce cuisinier inexpérimenté.*

Pronom de remplacement : _____ Verbe correctement accordé : _____

h) *En juillet, toi et moi (retourneront, retournerons) camper sur le bord de la mer.*

Pronom de remplacement : _____ Verbe correctement accordé : _____

i) *À la maison de campagne, toute la famille (ont, a) organisé une chasse au trésor.*

Pronom de remplacement : _____ Verbe correctement accordé : _____

j) *Chaque nuit, des douleurs au dos l'(empêche, empêchent) de trouver le sommeil.*

Pronom de remplacement : _____ Verbe correctement accordé : _____

s'occupera de notre chien, Oliver

4 Dans chacune des phrases syntaxiques autonomes suivantes,

pg. 32 help

C1 encadrez le sujet ;   ___ = sujet

C2 pronominalisez-le ;   C'est qui ?

C3 corrigez le verbe, s'il y a lieu.

noyau — utiliser pour pronomaliser le sujet

EXEMPLE

Les terrains de camping qui sont situés sur l'île est de toute beauté.

Pronom de remplacement : _____ils_____ Verbe corrigé (s'il y a lieu) : _____sont_____

noyau

(GN) a) Les travaux que commence cet ouvrier demande de la précision.

Pronom de remplacement : _____ils_____ Verbe corrigé (s'il y a lieu) : _____demandent_____

sujet

b) Malgré ce que tu en dis, tous penses que tu reviendras vite.

Pronom de remplacement : _____tous_____ Verbe corrigé (s'il y a lieu) : _____pensent_____

noyau

(NO) c) La majorité des électeurs n'a pas voté pour lui.

Pronom de remplacement : _____elle_____ Verbe corrigé (s'il y a lieu) : _____✓_____

noyau

(GVinf) ★ d) Acheter des billets de loterie nourrit des rêves de richesse et de voyage.

Pronom de remplacement : _____cela_____ Verbe corrigé (s'il y a lieu) : _____✓_____

noyau

e) On campaient dans les bois et on faisaient des randonnées dans la montagne.

Pronom de remplacement : _____on_____ Verbe corrigé (s'il y a lieu) : _____campait_____

Pronom de remplacement : _____on_____ Verbe corrigé (s'il y a lieu) : _____faisait_____

noyau

f) Je les emmènes voir ce film fantastique.

Pronom de remplacement : _____Je_____ Verbe corrigé (s'il y a lieu) : _____emmène_____

a

g) Qu'ils aient remporté deux médailles leur ont donné beaucoup de confiance en eux.

Pronom de remplacement : _____cela_____ Verbe corrigé (s'il y a lieu) : _____a donné_____

noyau

h) Ça me fais plaisir de t'aider.

Pronom de remplacement : _____ Verbe corrigé (s'il y a lieu) : _____fait_____

profiter de la brise océanique

noyau

i) (Certains) ont peur des chiens depuis leur enfance.

Pronom de remplacement : _____ ✓ _____ Verbe corrigé (s'il y a lieu) : _____ ✓ _____

j) *Parce que vous avez un échéancier serré,* (Suzanne et toi) *travaillent sans arrêt.*

Pronom de remplacement : _____ vous _____ Verbe corrigé (s'il y a lieu) : __ travaillez __

5 Dans chacune des phrases syntaxiques autonomes suivantes, corrigez le verbe, s'il y a lieu.

EXEMPLE vis avec cinq de mes meilleurs amis à Kingston

Toi et moi n'arrivont jamais à nous entendre.

Verbe corrigé (s'il y a lieu) : _____ arrivons _____

noyau — vous

✓ **a)** (Mes cousines et toi) *finirez votre repas sur la terrasse.*

Verbe corrigé (s'il y a lieu) : _____ verbe correcte _____

noyau

✓ **b)** (Vous) *me préviendrai quand elle arrivera.*

Verbe corrigé (s'il y a lieu) : _____ préviendrez _____

deux groupes nominales coordonnées

noyau

c) (L'esprit de déduction) *et le sens de l'observation qui* (sont nécessaires) *pour faire cet exercice ne semble pas être ses points forts.*

(GS) → groupe sujet

Verbe corrigé (s'il y a lieu) : _____ ent ? _____

noyau

✓ **d)** (Ce petit couple) *se prépare un voyage d'amoureux.*

Verbe corrigé (s'il y a lieu) : _____ " _____

e) (La foule des passants) *se dispersaient après son passage.*

Verbe corrigé (s'il y a lieu) : _____ " dispers aet _____

noyau

f) (Je vous estime parfaitement) *capables de réussir cette tâche.*

Verbe corrigé (s'il y a lieu) : _____

noyau → sujet

g) (Toi, Véronique et moi) *feront de la natation.*

Verbe corrigé (s'il y a lieu) : _____ ferons _____

je

h) (Je) *vous expliquerez le chemin plus en détail.*

Verbe corrigé (s'il y a lieu) : _____ explique _____

noyau

i) *Le* (lac,) *légèrement brouillé par la brise qui agite les feuilles, évoquent une plaine sombre.*

Verbe corrigé (s'il y a lieu) : _____ évoque _____

noyau

j) *Presque tous* (les marchands) *de cette rue commerçante croit que l'on devrait en interdire la circulation aux automobiles.*

Verbe corrigé (s'il y a lieu) : _____ croient _____

nous séparons tous après l'obtention de notre diplôme
Morgan wallen

⊙ LE CHOIX DU PRONOM DE REPRISE ⊙

Pour éviter les répétitions dans un texte, il faut utiliser différentes stratégies, dont la pronominalisation. Celle-ci doit respecter certaines règles de cohérence.

Le pronom de reprise doit être du même genre et du même nombre que **son antécédent.**

(g)

antécédent   pronom de reprise féminin singulier de la 3ᵉ personne

⎡L'opinion publique⎤ a condamné ce politicien. ⎡Elle⎤ a totalement perdu confiance en lui.

6   Dans les phrases suivantes, le pronom de reprise est fautif. Pour le corriger,

    C1   encadrez le pronom de reprise et le sujet qu'il remplace ;

    C2   remplacez le pronom de reprise par le bon pronom ou reformulez le sujet ;

    C3   écrivez la phrase ainsi modifiée en vérifiant les accords.

EXEMPLE

⎡L'Italie⎤ est un pays accueillant. ⎡Ils⎤ aiment parler avec les étrangers.

Nouveau pronom de reprise : _____ ou reformulation du sujet : ___ *Les Italiens* ___

Phrase modifiée : *Les Italiens sont accueillants.* _____

a) *Ce jeune couple tente d'avoir un enfant depuis quelque temps déjà. ⎡Ils⎤ songent désormais à adopter une petite fille.*

Nouveau pronom de reprise : ___ ils ___ ou reformulation du sujet : L'homme et femme

Phrase modifiée : L'homme & femme songent désormais à adopter une petite fille.

b) *La philosophie a toujours tenté de résoudre l'énigme de l'existence humaine. ⎡Ils⎤ ont cependant complexifié les questions au lieu de donner des réponses.*

Nouveau pronom de reprise : ___ ils ___ ou reformulation du sujet : la philosophie

Phrase modifiée : les règles de philosophie ont cependant complexifié les questions

c) *Cette association a été fondée dans les années 1980 et vise à dénoncer les injustices commises envers les enfants. ⎡Ils⎤ ont réussi à alerter le public à propos de plusieurs histoires accablantes.*

Nouveau pronom de reprise : ___ ils ___ ou reformulation du sujet : les membres d'association

Phrase modifiée : les membres d'association ont réussi à alerter le public à propos de plusieurs histoires accablantes.

elle
↓
elle a réussi à alerter

d) *Le symbolisme cherche à trouver une signification spirituelle à plusieurs phénomènes physiques, car* ils *croient que la réalité est plus complexe que ce que nous en percevons par nos sens.*

Nouveau pronom de reprise : _____ils_____ ou reformulation du sujet : _les principales de le symbolisme_

Phrase modifiée : _les principales de le symbolisme croient que la réalité est plus complexe que ce que nous en percevons par nos sens._

e) *Tout le Québec de cette époque attendait ces changements salutaires.* Ils *ont accueilli le gouvernement de Jean Lesage avec enthousiasme.*

Nouveau pronom de reprise : _____ils_____ ou reformulation du sujet : _les citoyens québécoise_

Phrase modifiée : _les citoyens québécoise ont accueilli ..._

f) *La ville entière craignait les embouteillages que causerait ce congrès.* Ils *avaient même décidé de faciliter l'accès aux transports en commun.*

Nouveau pronom de reprise : _____ils_____ ou reformulation du sujet : _les personnages du ville entière_

Phrase modifiée : _____

_____

~collectif

g) *Tout le monde est venu à ma petite fête. Ils ont dansé toute la nuit.*

Nouveau pronom de reprise : _____Ils_____ ou reformulation du sujet : _tous les invités_

Phrase modifiée : _tous les invités sont venues ..._

_____

h) *Au plus fort de la crise, la police est intervenue. Ils sont arrivés en cinq minutes.*

Nouveau pronom de reprise : _____ ou reformulation du sujet : _____

Phrase modifiée : _____

_____

i) *Mes frères et moi adorons l'escalade. Tous les étés, on part au moins un mois à la montagne.*

Nouveau pronom de reprise : _____ ou reformulation du sujet : _____

Phrase modifiée : _____

_____

j) *Toute la France l'a accueilli en héros ; ils étaient tous si fiers de lui.*

Nouveau pronom de reprise : _____ ou reformulation du sujet : _____

Phrase modifiée : _____

_____

◎ LE SUJET ET LA PONCTUATION ◎

Le verbe conjugué ne doit pas être séparé de son sujet par une virgule.

Tous les gens qui ont écouté les propos de cet illuminé *croient* *que la fin du monde est pour bientôt.*

Il ne faut pas mettre une virgule entre *Tous les gens qui ont écouté les propos de cet illuminé* et *croient.*

Ma meilleure amie, qui revient d'un long séjour à l'étranger, arrive la semaine prochaine.

Dans cette phrase, le groupe de mots encadré par des virgules peut être supprimé parce qu'il apporte une information non essentielle à la compréhension de la phrase. Les virgules servent à délimiter ce groupe et seraient supprimées avec lui. La phrase deviendrait alors :

Ma meilleure amie *arrive la semaine prochaine.*

7 Dans chacune des phrases suivantes,

  C1 soulignez le verbe principal ;

  C2 encadrez son sujet ;

  C3 corrigez la ponctuation, s'il y a lieu.

E XEMPLE

Les amateurs de théâtre, de musique et de peinture , *ont été choyés pendant ce festival.*
Les amateurs de théâtre, de musique et de peinture *ont été choyés pendant ce festival.*

a) *Cette campagne de publicité racoleuse et manipulatrice, joue sur l'attendrissement naturel des gens devant les bébés et les animaux.*

b) *Le président de la compagnie a fusillé du regard les actionnaires tout au long de la réunion.*

c) *Ce dont je suis assez fier, est que tu as tout compris du premier coup.*

d) *Pierre, Jacques et Lucie, sont tous allés à la plage.*

e) *Quand les lumières se sont allumées, nous étions tous encore sous le charme du spectacle.*

f) *L'élève dont je te parlais, est passé me voir aujourd'hui.*

g) *Ce roman publié dans les années 1920, a révolutionné le genre policier.*

h) *L'équipe de gymnastique victorieuse, l'entraîneur réputé pour sa sévérité et le physiothérapeute engagé pour le tournoi ont quitté le gymnase.*

i) *Hier, mon club de lecture a louangé ce roman.*

j) *L'enquêteur, le criminel, la victime, tous sont des êtres complexes.*

8 Relevez les 10 erreurs dans le texte suivant et corrigez-les. Les erreurs sont toutes liées à un mauvais accord du verbe avec son sujet, à un choix de pronom de reprise incorrect ou à la ponctuation entre le sujet et le verbe.

Même si Patricia **avaient** vivement protesté, Christine et Martin avaient tout arrangé. Ce couple tenaient absolument, depuis le début, à ce qu'elle rencontre son meilleur ami et ils avaient multiplié les essais dans ce sens jusqu'à ce qu'elle cède, impatientée. Elle leur en voulaient de cet acharnement. Tout le monde devraient comprendre, selon elle, qu'elle préférait demeurer célibataire et ils devraient la laisser tranquille. Ces sombres états d'âme la tiraillait pendant qu'elle se préparait à partir pour le rendez-vous : « Christine et moi ont des choix de vie très différents ; elle est heureuse avec son Martin, mais je ne les regardent pas avec envie. » Les coups de brosse qu'elle donnait dans ses cheveux en pensant à tout cela, était énergiques.

EXEMPLE

Mot ou segment fautif : _____*avaient*_____ Mot ou segment corrigé : _____*avait*_____

a) Mot ou segment fautif : _____ Mot ou segment corrigé : _____

b) Mot ou segment fautif : _____ Mot ou segment corrigé : _____

c) Mot ou segment fautif : _____ Mot ou segment corrigé : _____

d) Mot ou segment fautif : _____ Mot ou segment corrigé : _____

e) Mot ou segment fautif : _____ Mot ou segment corrigé : _____

f) Mot ou segment fautif : _____ Mot ou segment corrigé : _____

g) Mot ou segment fautif : _____ Mot ou segment corrigé : _____

h) Mot ou segment fautif : _____ Mot ou segment corrigé : _____

i) Mot ou segment fautif : _____ Mot ou segment corrigé : _____

j) Mot ou segment fautif : _____ Mot ou segment corrigé : _____

2.1.2 Le complément de phrase

◉ LES STRATÉGIES D'IDENTIFICATION ◉

Deux manipulations permettent de reconnaître et de délimiter le ou les compléments de phrase : **l'effacement** et **le déplacement**.

Claude *devra refaire son cours* (*à cause de ses résultats très insuffisants*).

On peut effacer le groupe de mots *à cause de ses résultats très insuffisants*.

Claude *devra refaire son cours*.

On peut déplacer ce groupe de mots au début de la phrase ou encore au milieu de la phrase.

(*À cause de ses résultats très insuffisants*), Claude *devra refaire son cours.*

Claude, (*à cause de ses résultats très insuffisants*), *devra refaire son cours.*

Il s'agit donc bien d'un complément de phrase.

Pour qu'un groupe de mots soit un complément de phrase, on doit pouvoir lui appliquer les deux manipulations : l'effacement et le déplacement.

9 Récrivez chacune des phrases syntaxiques autonomes suivantes. Pour ce faire,

C1 supprimez le complément de phrase ;

C2 déplacez-le.

E XEMPLE

Vu leur absence de motivation, ils ne vont sûrement pas obtenir leur diplôme.

Effacement : *Ils ne vont sûrement pas obtenir leur diplôme.*

Déplacement : *Ils ne vont sûrement pas obtenir leur diplôme vu leur absence de motivation.*

a) *Simon a su qu'il deviendrait musicien dès l'âge de quatre ans.* COD

Effacement : _____

_____

Déplacement : _____

_____

COD

b) *Depuis son arrivée, le nouveau directeur a entrepris plusieurs réformes salutaires.*

Effacement : _____

_____

Déplacement : _____

_____

c) *Je ne me suis jamais inquiété parce que j'étais convaincu que tu réussirais.*

Effacement : _____

_____

Déplacement : _____

_____

d) *J'ai su hier que tu allais partir.*

Effacement : _____

_____

Déplacement : _____

_____

e) *En ouvrant le coffre à jouets, elle a soudain revu toute sa vie de petite fille.*

Effacement : _____

_____

Déplacement : _____

_____

◎ LA CONFUSION À ÉVITER ◎

Bien qu'il soit en apparence facile à identifier par déplacement et par effacement, **le complément de phrase** se confond parfois avec certaines parties du groupe sujet, qui peuvent également être effacées et déplacées.

Durant le gala, Caroline accepta son prix, toute radieuse.
Dans cette phrase, il semble y avoir deux compléments de phrase : *Durant le gala* et *toute radieuse*.

Caroline accepta son prix, toute radieuse.
*Caroline accepta, **durant le gala**, son prix, toute radieuse.*

Durant le gala, Caroline accepta son prix.
*Durant le gala, **toute radieuse**, Caroline accepta son prix.*

Cependant, comme son nom l'indique, **le complément de phrase complète toute la phrase** ; or le groupe *toute radieuse* ne complète pas la phrase, mais le nom *Caroline* ; il qualifie *Caroline*. Ce n'est donc pas un complément de phrase. De plus, puisque le groupe *toute radieuse* est lié à *Caroline*, il appartient au groupe sujet.

Pour éviter la confusion, il faut utiliser une troisième manipulation : l'addition de *et cela se passe* (*cela se passait, cela se passera...*, selon le temps du verbe) devant **le complément de phrase.**

Le groupe *Durant le gala* est complément de phrase, car il peut être précédé de *et cela se passa* :
*Caroline accepta son prix, toute radieuse, **et cela se passa durant le gala**.*

En revanche, le groupe *toute radieuse* n'est pas complément de phrase, car il ne peut pas être précédé de *et cela se passa* :
*Durant le gala, Caroline accepta son prix, **et cela se passa toute radieuse**.*
Cette phrase n'est pas correcte.

10 Dans chacune des phrases suivantes, déterminez si les éléments soulignés appartiennent au groupe sujet ou s'ils sont compléments de phrase. Pour ce faire, utilisez la manipulation de l'addition de *et cela se passe* devant le complément de phrase.

EXEMPLE

Depuis toujours, je téléphone à ma sœur chaque fois qu'il m'arrive quelque chose d'important.

Depuis toujours :
☐ fait partie du groupe sujet
☒ est complément de phrase

chaque fois qu'il m'arrive quelque chose d'important :
☐ fait partie du groupe sujet
☒ est complément de phrase

a) *En classe, la petite fille, timide, n'osa pas lever la main.*

En classe :
☐ fait partie du groupe sujet
☒ est complément de phrase

timide :
☐ fait partie du groupe sujet
☒ est complément de phrase

b) *Depuis qu'elle a su la nouvelle, elle n'a pas prononcé un mot, totalement anéantie.*

Depuis qu'elle a su la nouvelle :
☐ fait partie du groupe sujet
☒ est complément de phrase

totalement anéantie :
☒ fait partie du groupe sujet
☐ est complément de phrase

c) *Fou de joie depuis hier, Mathieu s'amuse sur son nouvel ordinateur sans relâche.*

Fou de joie depuis hier :
☒ fait partie du groupe sujet
☐ est complément de phrase

sans relâche :
☐ fait partie du groupe sujet
☒ est complément de phrase

d) *Dans une crise d'hystérie spectaculaire, Martine a refusé net de descendre la pente, terrorisée par sa hauteur et sa difficulté.*

Dans une crise d'hystérie spectaculaire :
☐ fait partie du groupe sujet
☒ est complément de phrase

terrorisée par sa hauteur et sa difficulté :
☒ fait partie du groupe sujet
☐ est complément de phrase

e) *Toute la soirée, les invités l'ont écouté raconter ses blagues, hilares.*

Toute la soirée :
☐ fait partie du groupe sujet
☒ est complément de phrase

hilares :
☒ fait partie du groupe sujet
☐ est complément de phrase

◉ LE COMPLÉMENT DE PHRASE ET LA PONCTUATION ◉

Les compléments de phrase se placent habituellement à la fin de la phrase syntaxique. Dans ce cas, ils ne sont généralement pas détachés par des virgules. Cependant, pour diverses raisons (raisons stylistiques ou raisons d'accentuation, par exemple), on choisira de les déplacer. Il faut alors les faire suivre d'une virgule, s'ils sont en tête de phrase, ou les encadrer par des virgules, s'ils sont ailleurs dans la phrase.

Marguerite racontera toutes les aventures qu'elle a vécues pendant ses vacances **(dans sa prochaine lettre)**.

(Dans sa prochaine lettre), Marguerite racontera toutes les aventures qu'elle a vécues pendant ses vacances.

Marguerite, **(dans sa prochaine lettre)**, racontera toutes les aventures qu'elle a vécues pendant ses vacances.

11 Dans chacune des phrases suivantes,

> **C1** mettez entre parenthèses le ou les compléments de phrase ;
>
> **C2** corrigez la ponctuation, s'il y a lieu.

E XEMPLE

La lecture (quoi qu'on en dise), est un loisir passionnant.
La lecture, quoi qu'on en dise, est un loisir passionnant. _____

a) Les touristes affluent pour visiter ce musée depuis qu'il est ouvert.

_____

_____

b) Hier tu as pris ce sentier et tu t'y es perdu.

_____

_____

c) Les moustiques, à la fin du mois de juin attaquent férocement les randonneurs.

_____

_____

d) Au moment de sa disparition, il portait un chandail vert et un jeans.

_____

_____

e) *Encore une fois les discussions sur la légalisation de la marijuana, dès le début de la session parlementaire reprendront.*

_____

_____

12 Relevez les 10 erreurs de ponctuation dans le texte suivant et corrigez-les. Toutes les erreurs sont liées aux règles de ponctuation entre le sujet et le verbe ou aux règles entourant le déplacement du complément de phrase.

Quand nous avons entrepris ce projet, Luc, Stéphanie, Pascale et moi, ne nous doutions pas de ce qui allait arriver. Nous pensions seulement que nous allions faire un long travail, durant toute la session. Mais les choses, se sont déroulées autrement. Comme nous devions faire une recherche assez extensive et prendre contact avec beaucoup de monde, les gens, ont commencé à être informés de notre thèse et plusieurs, ont réagi vivement. À notre plus grande surprise, un journaliste du quotidien local, s'est même déplacé pour nous interviewer. Soudainement, nous étions devenus des stars!

2.1.3 Le prédicat

◎ L'IDENTIFICATION ◎

Pour repérer le prédicat, on doit d'abord identifier le sujet et le complément de phrase, s'il y a lieu ; les mots qui restent dans la phrase syntaxique autonome appartiennent au prédicat.

Le prédicat est constitué du verbe et des éléments qui en dépendent : son ou ses modificateurs, son ou ses compléments (qu'on ne peut ni supprimer ni déplacer) et un ou des attributs.

(Encore une fois), [*les criminels*] **laissèrent leur signature** *(sur les lieux du crime).*

13 Dans chacune des phrases suivantes,

C1 encadrez le sujet ;

C2 mettez le ou les compléments de phrase entre parenthèses, s'il y a lieu ;

C3 soulignez le prédicat ;

C4 vérifiez qu'aucun élément du prédicat ne peut être supprimé ni déplacé sans que le sens de la phrase change de façon significative.

EXEMPLE

(Toute sa vie), [*Murielle*] *a cru qu'elle était incapable de chanter juste.*

a) *La* [démarche] *qu'il faut suivre pour arriver à ce résultat m'apparaît obscure.*

sujet

b) (Tous les jours, [Stéphane] essaie de faire ses exercices de musculation.

↑complément de phrase   prédicat

c) Cette comédie québécoise a, depuis sa sortie, fait courir les foules.

d) Parce qu'elle est piètre cuisinière, Sophie évite de recevoir ses amis.

e) (À leur sortie du spa, [Laurence et Claire] ont couru se mettre à l'abri, [grelottantes de froid.])

c'est   ...   qui   prédicat

f) Tous les discours sur la violence dans les jeux vidéo ont [toujours paru exagérés] à [David.]

sujet   ↑GV (part with the verb)

g) (Grâce à sa ligne défensive, [l'équipe de football] a réussi à dominer la partie, (surtout durant le troisième quart.)

va avec sujet

h) [Ennuyée, toute la classe] a commencé à lire le roman, qui s'est avéré, (finalement,) plus drôle que prévu.

i) (Au conseil municipal, devant un auditoire hostile,) [cet entrepreneur] a fait valoir que son projet de copropriétés de luxe était innovateur.

j) [Le projet d'Étienne] lui demande, (très souvent,) de quitter la ville.

in between comas = CP

Exercices de récapitulation

Encerclez la lettre correspondant à la bonne réponse.

1. Dans quelle phrase le sujet encadré peut-il être remplacé par le pronom « nous » ?

  a) [Simon et toi, malgré nos réticences,] faites du bon travail.

  b) [La grande teneur en sucre de nos desserts] a indisposé ma tante au régime.

  c) [Que nous soyons amis] ne t'empêche pas de me critiquer.

  d) [Nos multiples voyages] nous ont appris la tolérance.

  (e) [Sylvie, Patrice, Vincent et moi] procédons toujours de cette façon.

`10`

2. Dans quelle phrase le sujet est-il correctement souligné ?

complément du nom

  a) Les soirs d'été, <u>ma mère</u> nous laissait nous coucher beaucoup plus tard.

  b) <u>Ma sœur et moi</u> trouvions tellement déprimant de <u>nous</u> coucher alors qu'il faisait encore clair.

     GN → sujet

  c) [Toute la famille, mourante de chaleur,] cherchait refuge au sous-sol, où il faisait plus frais.

  d) Parfois, <u>ma tante, qui aimait bien nous gâter,</u> nous payait une glace.

  (e) Dès qu'arrivent les jours chauds de juillet, <u>cela</u> me fait penser à mon enfance.

3. Dans quelle phrase le verbe est-il correctement accordé ?

  a) Benoît, Luc et toi ~~sont~~ êtes allés à la fête.

  b) Tu leur ~~parlent~~ parles de ces problèmes.

  c) Je vous ~~répondrez~~ répondre dans la journée demain.

  d) On ~~voulaient~~ voulait plus de temps.

  (e) Tout le monde est convaincu de sa culpabilité.

4. Dans quelle phrase le verbe est-il correctement accordé?

   a) *Cette association de producteurs maraîchers font beaucoup avancer les pratiques agricoles.*

   b) *Vivre de telles aventures représentent une chance extraordinaire.*

   c) *Ses cachets contre la migraine l'aident à demeurer efficace.*

   d) *La commande que passent ces riches clients assurent d'importantes rentrées d'argent à cet artisan.*

   e) *Dans le jardin pousse des roses d'une variété très rare.*

5. Dans quelle phrase le pronom de reprise en gras est-il choisi correctement en fonction de son antécédent?

   a) *Éric et moi aimons faire du camping. **On** y va souvent.*

   b) *Le jeune couple se regarde langoureusement. Au milieu des passants, **ils** se dévorent des yeux.*

   c) *Le corps médical a recommandé que soit appliqué ce protocole. **Ils** veulent prévenir toute épidémie.*

   d) *Mes cousines et leur grand-père ont cuisiné tout l'après-midi; **ils** ont confectionné des bonbons au caramel.*

   e) *La bibliothèque a fermé ses portes; **ils** voulaient procéder au classement des livres.*

6. Laquelle des phrases suivantes est ponctuée correctement?

   a) *Au XIXe siècle, cet auteur réputé pour son style ampoulé, a souvent traité ce thème.*

   b) *Gagner à la loterie, est un rêve que tout le monde caresse un jour.*

   c) *Une colère froide et sourde grandit lentement dans son cœur blessé.*

   d) *La rage au volant, chaque année est un phénomène qui prend de l'ampleur.*

   e) *Ce gâteau au fromage que l'on déguste nappé d'un délicieux coulis de fraises, rend tout le monde fou.*

7. Dans quelle phrase les compléments de phrase sont-ils correctement soulignés?

   a) <u>*Le soir du crime*</u>*, il était sorti comme à son habitude.*

   b) *On menait souvent,* <u>*au XVIIe siècle*</u>*, ce genre de vie dans les couches les plus élevées de la société.*

   c) <u>*Lorsqu'il pleuvait*</u> *et* <u>*que le temps était gris*</u>*, je restais au chalet à lire mon roman policier, emmitouflée dans une couverture.*

   d) *Il étudie dans sa chambre* <u>*jusqu'aux petites heures de la nuit*</u>*.*

   e) *Ce film,* <u>*qui risque de marquer ma vie*</u>*, sortira dès demain.*

8. Dans quelle phrase les mots soulignés appartiennent-ils au complément de phrase et non au sujet?

   a) *Tous les jours, dans les pires conditions, des gens doivent survivre dans les camps de réfugiés,* <u>*affamés et affaiblis*</u>*.*

   b) *Ma petite sœur, au moment du repas, a éclaté de rire,* <u>*taquine*</u>*.*

   c) <u>*Lentement*</u>*, elle a contourné le patio et gravi la colline dans l'espoir de les surprendre.*

   d) *Hier, ma tante et moi sommes parties magasiner,* <u>*fébriles*</u>*.*

   e) *Au moment du départ, nous hésitions encore à traîner ce paquet,* <u>*inquiets à l'idée qu'il soit trop lourd*</u>*.*

9. Laquelle des phrases suivantes ne contient aucun complément de phrase ?

a) *Nous avons appris hier les résultats de cette élection très serrée.*

b) *Il a pris son temps comme toujours.*

c) *Il n'a plus jamais été le même depuis que sa femme est décédée.*

d) *Cette vieille maison, même très bien rénovée, n'a pas trouvé preneur.*

e) *Dans un avenir rapproché, Marc, très préoccupé, compte prendre du repos.*

10. Dans quelle phrase le prédicat est-il correctement souligné ?

a) *Ce candidat ambitieux <u>a répondu à la question avant de quitter la salle</u>, très ennuyé par toute cette affaire.*

b) *Vivre dans un environnement qui <u>demande autant de souplesse me serait très difficile</u> à la longue.*

c) *Dans toutes ces maisons <u>nouvellement construites</u> apparaissent des vices de construction majeurs.*

d) *La ville où tu es né et où tu as passé toute ton enfance <u>est deux fois plus grosse et polluée</u>.*

e) *Déçue, toute l'assemblée <u>a cru, pendant un certain temps, que cette proposition ne serait jamais débattue</u>.*

2.2 SYNTHÈSE PRATIQUE

◎ ANALYSE COMPLÈTE DE PHRASES SYNTAXIQUES AUTONOMES ◎

Nous pouvons maintenant classer tous les mots de la plupart des phrases syntaxiques autonomes dans l'un ou l'autre des principaux constituants de la phrase : sujet, prédicat ou complément de phrase (CP).

(Au printemps), <u>tous les amateurs de plein air</u> *se précipitent dans les parcs.*

Les constituants de base de cette phrase peuvent être placés dans le tableau suivant :

Pronom de remplacement	Sujet	Prédicat	CP (le cas échéant)
ils	*tous les amateurs de plein air*	*se précipitent dans les parcs*	*Au printemps*

1 Pour chacune des phrases suivantes,

C1 délimitez les phrases syntaxiques autonomes par des crochets ;

C2 placez les principaux constituants des phrases syntaxiques autonomes dans les cases appropriées.

EXEMPLE

[Depuis notre plus tendre enfance, les adultes qui prennent soin de nous nous répètent que nous devons être gentils avec les autres].

Pronom de remplacement	Sujet	Prédicat	CP (le cas échéant)
ils	*les adultes qui prennent soin de nous*	*nous répètent que nous devons être gentils avec les autres*	*Depuis notre plus tendre enfance*

Les coordonnants qui joignent des constituants de la phrase ne font pas partie de ces constituants.
(À la naissance) et (pendant plusieurs semaines), *les chatons* sont totalement dépendants de leur mère.

a) *Chaque jour, Olivier et moi pensons à Isabelle, qui nous a quittés l'année dernière.*

Pronom de remplacement	Sujet	Prédicat	CP (le cas échéant)

b) *Les fins de session sont éprouvantes pour tout le monde.*

Pronom de remplacement	Sujet	Prédicat	CP (le cas échéant)

c) *Le ski est le sport le plus agréable en hiver.*

Pronom de remplacement	Sujet	Prédicat	CP (le cas échéant)

d) *Totalement ruinée, sa famille s'est enfuie par une nuit d'hiver.*

Pronom de remplacement	Sujet	Prédicat	CP (le cas échéant)

e) *Considérant son avenir avec pessimisme, le jeune homme refusa de continuer à se battre.*

Pronom de remplacement	Sujet	Prédicat	CP (le cas échéant)

f) *Dominique et toi préparerez la maison, Sophie et moi irons faire les courses.*

Pronom de remplacement	Sujet	Prédicat	CP (le cas échéant)

g) *Pendant que je réviserai mon examen d'histoire, tu pourras commencer à lire ton roman.*

Pronom de remplacement	Sujet	Prédicat	CP (le cas échéant)

h) *L'un de nous devrait téléphoner à Monique avant qu'elle pense que nous sommes fâchés contre elle.*

Pronom de remplacement	Sujet	Prédicat	CP (le cas échéant)

i) *Julien et toi resterez jusqu'à demain matin dans votre chambre.*

Pronom de remplacement	Sujet	Prédicat	CP (le cas échéant)

j) *Hier soir, en venant nous rejoindre au chalet, Kevin et Jacques se sont perdus et tout le monde s'est moqué d'eux.*

Pronom de remplacement	Sujet	Prédicat	CP (le cas échéant)

2 Laquelle des phrases suivantes a été analysée correctement ?

a) *Hier, Sylvain a décidé de tout abandonner, des larmes amères dans les yeux, et il est reparti pour la ville.*

Pronom de remplacement	Sujet	Prédicat	CP (le cas échéant)
il	*Sylvain* *il*	*a décidé de tout abandonner* *est reparti pour la ville*	*Hier* *des larmes amères dans les yeux*

b) *Tout amoureux, Luc a acheté un cadeau à Josiane.*

Pronom de remplacement	Sujet	Prédicat	CP (le cas échéant)
il	*Luc*	*a acheté un cadeau à Josiane*	*Tout amoureux*

c) *Sous la surface du lac s'élabore une réaction chimique complexe.*

Pronom de remplacement	Sujet	Prédicat	CP (le cas échéant)
il	*Sous la surface du lac*	*s'élabore une réaction chimique complexe*	

d) *Toute la société aurait dû être sensible aux impacts environnementaux de cette industrie depuis longtemps.*

Pronom de remplacement	Sujet	Prédicat	CP (le cas échéant)
elle	*Toute la société*	*aurait dû être sensible aux impacts environnementaux de cette industrie*	*depuis longtemps*

e) *Ce trajet, accidenté et dangereux, nous a paru interminable.*

Pronom de remplacement	Sujet	Prédicat	CP (le cas échéant)
il	*Ce trajet*	*nous a paru interminable*	*accidenté et dangereux*

◎ MODIFICATION DE L'ORDRE DES CONSTITUANTS ◎

Il arrive que, pour des raisons stylistiques, notamment, l'ordre habituel des constituants de la phrase soit modifié ; on a alors, en quelque sorte, une phrase inversée, qui commence par le complément de phrase suivi du prédicat, puis du sujet. **Dans ce cas, le complément de phrase, qui se trouve en tête de phrase, n'est pas suivi d'une virgule.**

À la fin du mois de juin fleurissent les lilas.

Afin d'analyser cette phrase avec les manipulations syntaxiques, **il faut remettre les constituants dans l'ordre de la phrase de base :**

Les lilas fleurissent à la fin du mois de juin.

Pronom de remplacement	Sujet	Prédicat	CP (le cas échéant)
ils	*Les lilas*	*fleurissent*	*à la fin du mois de juin*

Il est important de reconnaître les phrases où l'ordre des constituants est inversé, car elles peuvent donner lieu à des erreurs de ponctuation et d'accord du verbe avec le sujet, celui-ci étant placé après le verbe.

3 Dans chacun des cas suivants,

C1 récrivez la phrase en remettant les constituants dans l'ordre habituel (sujet/prédicat/complément de phrase) ;

C2 placez ces constituants dans le tableau ;

C3 corrigez les accords verbe/sujet, s'il y a lieu.

EXEMPLE

Dans ce village vit deux hommes centenaires.
Deux hommes centenaires vit dans ce village.

Pronom de remplacement	Sujet	Prédicat	CP (le cas échéant)
ils	*Deux hommes centenaires*	*vivent dans ce village*	

a) *Dès que la cloche de la récréation sonne surgit cent élèves souriants.*

_____

_____

Pronom de remplacement	Sujet	Prédicat	CP (le cas échéant)

b) *Depuis toujours demeure cette interrogation.*

_____

Pronom de remplacement	Sujet	Prédicat	CP (le cas échéant)

c) *Dans le plus pur chaos a commencé son voyage.*

_____

Pronom de remplacement	Sujet	Prédicat	CP (le cas échéant)

d) *Durant toute la nuit défilèrent des cauchemars affreux qui m'ont traumatisée.*

_____

_____

Pronom de remplacement	Sujet	Prédicat	CP (le cas échéant)

e) *Le troisième jour après notre départ survient les ennuis.*

_____

_____

Pronom de remplacement	Sujet	Prédicat	CP (le cas échéant)

f) *Au lendemain de la fête sont arrivés des invités perdus.*

_____

_____

Pronom de remplacement	Sujet	Prédicat	CP (le cas échéant)

g) *Le long de cette allée d'arbres serpentent un petit chemin.*

_____

_____

Pronom de remplacement	Sujet	Prédicat	CP (le cas échéant)

h) *Maintenant arrivent les musiciens qui vont égayer la soirée.*

_____

Pronom de remplacement	Sujet	Prédicat	CP (le cas échéant)

i) *Dans le noir défile des ombres menaçantes.*

_____

Pronom de remplacement	Sujet	Prédicat	CP (le cas échéant)

j) *Au plus profond des océans vit des espèces animales étranges et spectaculaires.*

_____

Pronom de remplacement	Sujet	Prédicat	CP (le cas échéant)

◉ ELLIPSE DE L'UN DES CONSTITUANTS ◉

Afin d'éviter les répétitions dans une phrase, il est souvent possible de supprimer certains mots qui peuvent facilement être sous-entendus. Ainsi, au lieu d'écrire :

*Pierre lit le courrier, **il** répond au téléphone et **il** tape les lettres.*
on pourra écrire :
Pierre lit le courrier, répond au téléphone et tape les lettres.

Cependant, pour analyser cette phrase, il faudra restituer les sujets *il* sous-entendus.

Par ailleurs, on ajoute parfois une virgule à la place des mots sous-entendus :
Valérie a douze ans et Sylvie, treize.

4 Dans chacun des cas suivants,

C1 récrivez la phrase graphique en rétablissant les mots sous-entendus ;

C2 délimitez les phrases syntaxiques autonomes par des crochets ;

C3 transcrivez toutes les phrases dans le tableau.

E XEMPLE

Le criminel a tué sa victime, l'a enroulée dans un tapis et l'a enfermée dans le coffre de sa voiture.
[Le criminel a tué sa victime], [il l'a enroulée dans un tapis] et [il l'a enfermée dans le coffre de sa voiture].

Pronom de remplacement	Sujet	Prédicat	CP (le cas échéant)
il	*Le criminel* *il* *il*	*a tué sa victime* *l'a enroulée dans un tapis* *l'a enfermée dans le coffre* *de sa voiture*	

a) *Marie me parla de tous ses rêves, me décrivit les espoirs qu'elle caressait et me conta aussi ses déceptions et, quand le jour se leva, nous étions devenues des amies inséparables.*

_____

_____

_____

_____

_____

Pronom de remplacement	Sujet	Prédicat	CP (le cas échéant)

b) *Quand il fait beau, nous nous levons tôt, préparons un dîner à emporter et partons à l'aventure, le cœur joyeux.*

_____

_____

_____

Pronom de remplacement	Sujet	Prédicat	CP (le cas échéant)

c) *Lors du bal de fin d'année, Élise refusa de porter une robe longue et dénoua simplement ses cheveux.*

_____

_____

_____

Pronom de remplacement	Sujet	Prédicat	CP (le cas échéant)

d) *Marc voulait être pompier et Philippe, ingénieur.*

_____

_____

Pronom de remplacement	Sujet	Prédicat	CP (le cas échéant)

e) *Au loin, dans le ciel de nuit, se découpent des lueurs clignotantes et la masse sombre des nuages.*

_____

_____

Pronom de remplacement	Sujet	Prédicat	CP (le cas échéant)

5 Écrivez toutes les phrases syntaxiques autonomes du texte suivant dans le tableau.

Chaque fois que Charles revient dans ce petit village où vit toute sa famille, il éprouve le même sentiment étrange devant cette vieille maison. Ses portes sont condamnées, le vieux chemin qui y mène n'est plus praticable depuis longtemps, mais flotte, autour d'elle, la troublante impression que quelqu'un la soigne encore : les bosquets qui la bordent sont relativement soignés et pendent, aux fenêtres de l'étage, des rideaux de dentelle qui semblent avoir été empesés la veille. Durant les courtes nuits d'été, ces voilages oscillent lentement, comme effleurés par un fantôme nostalgique. Contrairement à plusieurs, Charles n'est pas effrayé par cette maison ; une part de lui souhaite même qu'elle soit réellement hantée et aimerait s'entretenir avec ce doux fantôme jardinier.

Pronom de remplacement	Sujet	Prédicat	CP (le cas échéant)

2.3 ATELIER DE RÉDACTION

1 Pour chacune des phrases suivantes,

C1 complétez-la en vos propres mots ;

C2 copiez la phrase que vous aurez rédigée dans le tableau.

a) _____ *constitue le plus grand rêve de ma vie.*

Pronom de remplacement	Sujet	Prédicat	CP (le cas échéant)

b) *Si je ne* _____, *je deviendrais* _____.

Pronom de remplacement	Sujet	Prédicat	CP (le cas échéant)

c) *Souvent, quand* _____, *mon meilleur ami* _____.

Pronom de remplacement	Sujet	Prédicat	CP (le cas échéant)

d) *Au milieu de la nuit apparaissent* _____.

Pronom de remplacement	Sujet	Prédicat	CP (le cas échéant)

e) *Selon moi, la majorité de la population* _____ .

Pronom de remplacement	Sujet	Prédicat	CP (le cas échéant)

f) *Trop souvent, ma mère* _____, *inquiète de ce que je ne rentre pas.*

Pronom de remplacement	Sujet	Prédicat	CP (le cas échéant)

g) *Le choix que j'ai fait de suivre ce programme d'études me* _____ .

Pronom de remplacement	Sujet	Prédicat	CP (le cas échéant)

h) _____ *est sûrement la personne qui m'a le plus influencé(e) dans la vie.*

Pronom de remplacement	Sujet	Prédicat	CP (le cas échéant)

i) *Contrairement à la plupart des gens, depuis toujours je crois que* _____.

Pronom de remplacement	Sujet	Prédicat	CP (le cas échéant)

j) *La musique, particulièrement celle qui* _____, *constitue pour moi*

_____ .

Pronom de remplacement	Sujet	Prédicat	CP (le cas échéant)

2 Rédigez les phrases suivantes. Dans chaque cas,

C1 respectez la contrainte ;

C2 copiez les constituants de la phrase dans le tableau.

a) Rédigez une phrase syntaxique autonome qui contient deux compléments de phrase reliés par *et* ou *ou* (coordonnés).

_____

_____

_____

_____

Pronom de remplacement	Sujet	Prédicat	CP (le cas échéant)

b) Rédigez une phrase syntaxique autonome qui contient deux compléments de phrase qui ne sont pas reliés par *et* ou *ou* (coordonnés).

_____

_____

_____

_____

Pronom de remplacement	Sujet	Prédicat	CP (le cas échéant)

c) Rédigez une phrase syntaxique autonome dans laquelle le complément de phrase se trouve entre le sujet et le prédicat (attention à la ponctuation).

_____

_____

_____

_____

Pronom de remplacement	Sujet	Prédicat	CP (le cas échéant)

d) Rédigez une phrase syntaxique autonome comprenant un élément qui ressemble à un complément de phrase mais qui, en fait, appartient au sujet.

_____

_____

_____

_____

Pronom de remplacement	Sujet	Prédicat	CP (le cas échéant)

e) Rédigez une phrase graphique contenant trois phrases syntaxiques autonomes avec ellipse du sujet.

_____

_____

_____

_____

Pronom de remplacement	Sujet	Prédicat	CP (le cas échéant)

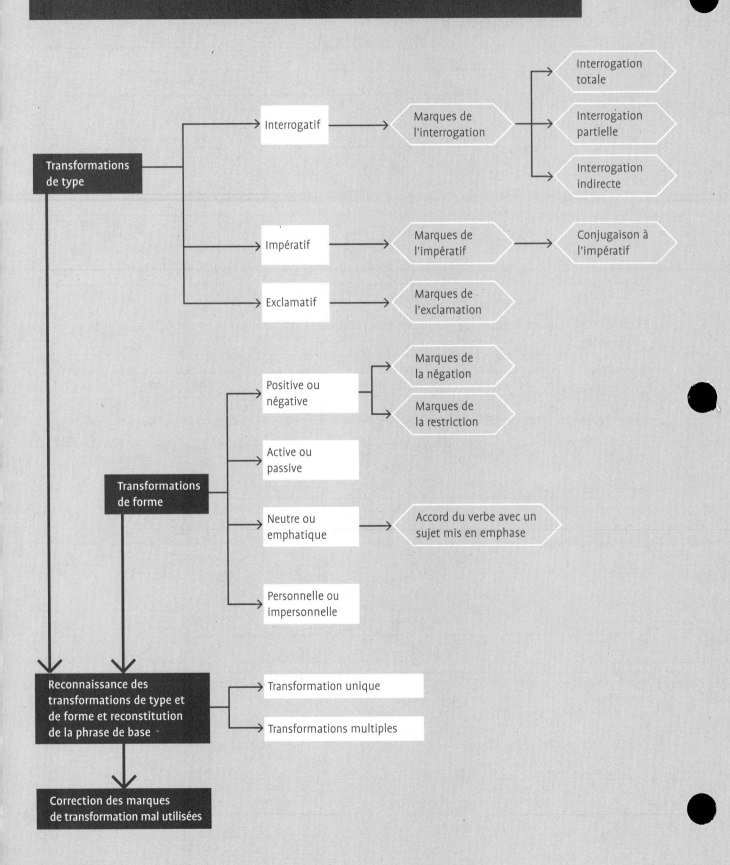

THÉORIE

Pour être plus expressive, une phrase peut subir diverses transformations, notamment des transformations de type et de forme. Une phrase syntaxique autonome a toujours un type et quatre formes.

Type	Formes			
déclaratif interrogatif impératif exclamatif	positive ou négative	active ou passive	neutre ou emphatique	personnelle ou impersonnelle

Lorsqu'elle n'a subi aucune transformation, la phrase est de type **déclaratif** et de formes **positive**, **active**, **neutre** et **personnelle**.

La fille dont je t'ai parlé hier lit des romans d'amour.

Type	Formes			
<u>déclaratif</u> interrogatif impératif exclamatif	<u>positive</u> ou négative	<u>active</u> ou passive	<u>neutre</u> ou emphatique	<u>personnelle</u> ou impersonnelle

*La fille dont je t'ai parlé hier lit-**elle** des romans d'amour?*

Pour transformer la phrase déclarative en phrase interrogative, on a ajouté, après le verbe principal, le pronom *elle*, qui reprend le sujet, et un point d'interrogation à la fin de la phrase.

Type	Formes			
déclaratif <u>interrogatif</u> impératif exclamatif	<u>positive</u> ou négative	<u>active</u> ou passive	<u>neutre</u> ou emphatique	<u>personnelle</u> ou impersonnelle

Ces ajouts sont **des marques de transformation**. Si l'on enlève les marques de transformation, la phrase qui reste doit être conforme au modèle de base.

Par conséquent, pour vérifier si une phrase est correctement transformée, il suffit d'identifier les marques de transformation et de s'assurer, après avoir enlevé ces marques, que la phrase syntaxique autonome qui reste est conforme au modèle de base en délimitant ses constituants de base.

Pronom de remplacement	Sujet	Prédicat	CP (le cas échéant)
elle	*La fille dont je t'ai parlé hier*	*lit des romans d'amour*	

DÉMARCHE

Pour écrire sans fautes, vous devez, entre autres :

- connaître les marques de transformation et leur fonctionnement ;

- les enlever et vérifier que la phrase est conforme au modèle de base ;

- utiliser correctement ces marques.

3.1 EXPLORATION THÉORIQUE

3.1.1 Les transformations de type

◎ LE TYPE INTERROGATIF ◎

Une phrase interrogative sert à poser une question et se termine toujours par **un point d'interrogation**. Toutefois, le point d'interrogation n'est pas la seule marque de la transformation d'une phrase de base en phrase interrogative. Cette dernière contient d'autres marques de transformation qui diffèrent selon qu'il s'agit d'**une interrogation totale ou partielle**.

Pierre va à l'école en autobus.

Cette phrase déclarative peut être transformée en phrase interrogative de différentes façons.

L'interrogation totale (on peut y répondre par « oui » ou par « non »)
Elle est formée à l'aide de l'un ou l'autre des marqueurs d'interrogation suivants :

- **inversion ou reprise du sujet par un pronom**
  *Pierre va-t-**il** à l'école en autobus* ?

- **addition de *est-ce que***
  ***Est-ce que** Pierre va à l'école en autobus* ?

L'interrogation partielle (on ne peut y répondre ni par « oui » ni par « non »)
En général, elle est formée à l'aide de l'un ou l'autre des marqueurs de l'interrogation totale auquel s'ajoute **un marqueur interrogatif tel que *qui, que, comment, où, pourquoi...*** Ce marqueur correspond à un élément de la phrase de réponse.

***Comment** Pierre va-t-il à l'école* ? *Pierre va à l'école **en autobus**.*

Lorsqu'un pronom est placé après le verbe,
il est joint au verbe par un trait d'union.

1 Transformez les phrases déclaratives suivantes en phrases interrogatives totales en utilisant tour à tour les deux marqueurs d'interrogation possibles.

> **E**XEMPLE
>
> *Il faisait beau hier.*
>
> Inversion ou reprise : *Faisait - il beau hier ?*
>
> Addition : *Est-ce qu'il faisait beau hier ?*

a) *Nous venons de finir nos devoirs.*

Inversion ou reprise : _____

_____

Addition : _____

_____

b) *Tout est possible pour ceux qui sont prêts à se battre.*

Inversion ou reprise : _____

_____

Addition : _____

_____

c) *Le garçon à qui j'ai parlé hier me téléphonera aujourd'hui.*

Inversion ou reprise : _____

_____

Addition : _____

_____

d) *Je pourrai partir en voyage cet été comme j'en ai rêvé.*

Inversion ou reprise : _____

_____

Addition : _____

_____

e) *Les gens le croient incapable d'une chose pareille.*

Inversion ou reprise : _____

_____

Addition : _____

_____

2 Transformez les phrases suivantes en phrases interrogatives partielles en remplaçant le groupe souligné par un marqueur d'interrogation.

> **E**XEMPLE
>
> *Ils ont cambriolé la banque de mon oncle <u>parce qu'ils savaient que le directeur serait absent pendant toute la journée</u>.*
>
> <u>**Pourquoi** ont-ils cambriolé la banque de mon oncle</u> ❓ _____

a) *L'année prochaine, tu iras étudier <u>en France</u>.*

_____

b) <u>*L'avenir de ton fils*</u> *te préoccupe énormément.*

_____

c) *Marc reprend ses études <u>parce qu'il n'aime pas le travail qu'il fait en ce moment</u>.*

_____

d) *Nous finirons notre travail <u>ce soir</u>.*

_____

e) *Ils ont mangé <u>plein de bonnes choses : de la soupe aux légumes, des pâtes aux fruits de mer, du fromage et un gâteau Forêt-Noire</u>.*

_____

◉ L'INTERROGATION INDIRECTE ◉

Pour qu'une phrase soit interrogative, il faut que les marqueurs d'interrogation s'appliquent à la phrase qui contient le verbe principal. Si les marqueurs sont placés au début d'une phrase non autonome enchâssée dans la phrase syntaxique autonome, il s'agit d'**une interrogation indirecte**. Dans ce cas, la phrase syntaxique autonome ne peut pas être considérée comme une phrase transformée.

Je me demande pourquoi le téléphone ne marche pas.

Dans l'exemple ci-dessus, le marqueur d'interrogation s'applique à la phrase enchâssée, qui commence par le marqueur *pourquoi*, et non à la phrase syntaxique autonome, qui contient le verbe principal *demande*. La phrase syntaxique autonome n'est donc pas de type interrogatif. Par conséquent, elle ne se termine pas par un point d'interrogation et ne contient aucune des deux marques obligatoires de transformation : inversion ou reprise du sujet, ou addition de *est-ce que*.

3 Déterminez si les phrases syntaxiques autonomes suivantes sont de type interrogatif ou non.

EXEMPLE

	Oui	Non
Pourriez-vous remettre votre travail avant la date limite, s'il vous plaît ?	X	☐

a) *Quand le printemps sera revenu, pourrons-nous recommencer à faire du vélo ?*   ☐   ☐

b) *Je me demande si mon vélo, qui n'a pas servi depuis deux ans, est toujours en bon état.*   ☐   ☐

c) *En regardant la jeune fille dans les yeux, le vieil homme lui demanda : « pourquoi es-tu si méchante ? », ce qui la fit rougir violemment.*   ☐   ☐

d) *Viendras-tu me voir si je vais m'installer à Toronto ?*   ☐   ☐

e) *Il faudrait que tu m'expliques comment me rendre chez toi pour ne pas que je me perde.*   ☐   ☐

4 Corrigez les phrases suivantes.

EXEMPLE

Faites-moi savoir quel sujet avez-vous choisi pour votre exposé.

*Faites-moi savoir quel sujet **vous avez** choisi pour votre exposé.*

a) *Pourquoi ils sont arrivés aussi tard ?*

_____

b) *Son échec la traumatise-t-elle ?*

_____

c) *Il faut essayer de savoir pourquoi ont-ils décidé de ne pas faire leur travail.*

_____

d) *Quand tout le monde aura fini de manger, qui pourra m'aider à tout ranger.*

_____

e) *Laquelle de ces valises je dois emporter ?*

_____

f) *Quel type de livres Marie aime lire ?*

_____

g) *Est-ce que les décisions prises par ce directeur vous paraissent-elles équitables ?*

_____

h) *Dites-lui comment il doit s'y prendre pour classer ces dossiers ?*

_____

i) *Explique-moi pourquoi est-ce que tu dois partir si tôt.*

_____

j) *Lorsque vous aurez réussi tous vos cours et que vous aurez obtenu votre diplôme, vous pensez que vous trouverez du travail dans le domaine dans lequel vous avez étudié ?*

_____

_____

_____

◉ LE TYPE IMPÉRATIF ◉

Une phrase impérative exprime le plus souvent une interdiction ou un ordre, marqué par **l'effacement du sujet** et **l'utilisation d'un verbe au mode impératif.**

Tu vas voir ton professeur.

Cette phrase déclarative peut être transformée en phrase impérative de la façon suivante :

~~*Tu*~~ ***Va*** *voir ton professeur.*

Au mode impératif, le verbe ne peut se conjuguer qu'à trois personnes : ***tu, nous, vous,*** ce qui signifie que le sujet effacé ne peut être qu'un de ces pronoms ou un groupe remplaçable par l'un ou l'autre de ces pronoms.

La conjugaison à l'impératif

À la deuxième personne du singulier, le *s* final de l'indicatif des verbes en *-er* et de quelques verbes comme *cueillir, offrir,* etc. disparaît.

Tu manges ta soupe. → *Mange ta soupe.*

Le *s* final réapparaît si ces verbes ont pour complément le pronom ***en*** ou ***y.***

Tu en manges. → *Mange**s-en.***
Tu y retournes. → *Retourne**s-y.***

g

5 Indiquez quel pronom sujet a été effacé pour construire les phrases impératives suivantes.

	Pronom effacé
E X E M P L E	
Faites-nous le plan de votre future maison.	*vous*
a) *Allons voir si le facteur est passé.*	_____
b) *Apporte-moi mon manteau et mes souliers.*	_____

Pronom effacé

c) *Dites-leur la vérité avant qu'il soit trop tard.* _____

d) *Donne-nous des nouvelles dès que tu seras arrivée.* _____

e) *Maman, rappelle-moi de te donner ma nouvelle adresse.* _____

6 Transformez les phrases déclaratives suivantes en phrases impératives.

> **E**XEMPLE
>
> *Tu fais tes devoirs avant d'aller jouer dans la neige.*
> *__Fais tes devoirs avant d'aller jouer dans la neige.__* _____

a) *Vous pensez toujours aux autres avant de prendre une décision.*

_____

b) *Marie et toi préparez votre départ le plus rapidement possible.*

_____

c) *Nous répétons sérieusement nos rôles avant l'arrivée du metteur en scène.*

_____

d) *Tu ne pars pas te promener avant d'avoir fait le ménage de ta chambre.*

_____

e) *Pour son anniversaire, tu chantes à ton grand-père sa chanson préférée.*

_____

◉ LE TYPE EXCLAMATIF ◉

Une phrase exclamative exprime des sentiments intenses. Pour transformer une phrase déclarative en phrase exclamative, on doit **ajouter un marqueur exclamatif** (ou, parfois, remplacer un déterminant par un déterminant exclamatif). De plus, **la phrase exclamative doit se terminer par un point d'exclamation**.

Ta maison est belle.

Cette phrase déclarative peut être transformée en phrase exclamative de différentes façons.

Que *ta maison est belle !* (ajout d'un marqueur exclamatif)

Comme *ta maison est belle !* (ajout d'un marqueur exclamatif)

Quelle *belle maison tu as !* (remplacement du déterminant *ta* par le déterminant exclamatif *Quelle*)

7 Transformez les phrases déclaratives suivantes en phrases exclamatives en ajoutant les mots exclamatifs *que, comme, quelle, quelles, quel* (chacun de ces mots ne peut être utilisé qu'une fois).

> **E**XEMPLE
>
> *Il fait beau aujourd'hui.*
> ***Comme** il fait beau aujourd'hui!*

a) *J'ai vu un film extraordinaire.*

_____

b) *Tu es jolie dans ta robe neuve.*

_____

c) *Vous êtes gentille de venir me voir aussi souvent.*

_____

d) *Nous avons vécu des aventures passionnantes cet été.*

_____

e) *Ils ont fait une rencontre épouvantable dans les bois hier soir.*

_____

3.1.2 Les transformations de forme

◉ LA FORME POSITIVE OU NÉGATIVE ◉

La négation exprime qu'un fait est faux ou n'existe pas. Elle se marque généralement par l'ajout de **deux mots négatifs** dans une phrase positive : l'adverbe *ne* et un autre mot négatif.

Les ministres de ce gouvernement prennent des décisions intelligentes.

Cette phrase positive peut être transformée en phrase négative de la façon suivante :
*Les ministres de ce gouvernement **ne** prennent **pas** de décisions intelligentes.*

Il existe d'autres mots négatifs que les adverbes *ne... pas*, par exemple *aucun* et *jamais* qui, dans la phrase négative, remplacent respectivement *tous les* (ou *plusieurs*) et *toujours*.

***Tous les** ministres de ce gouvernement prennent des décisions intelligentes.*
***Aucun** ministre de ce gouvernement **ne** prend de décisions intelligentes.*
*Les ministres de ce gouvernement prennent **toujours** des décisions intelligentes.*
*Les ministres de ce gouvernement **ne** prennent **jamais** de décisions intelligentes.*

Lorsque *ne* est employé avec *que*, ces deux mots forment un marqueur de restriction qui signifie *seulement*. Il ne faut donc pas utiliser *ne... que* et *seulement* dans la même phrase.

*Les ministres de ce gouvernement **ne** prennent **que** des décisions intelligentes.*
*Les ministres de ce gouvernement prennent **seulement** des décisions intelligentes.*

Pour que la phrase syntaxique autonome soit négative, la négation doit porter sur le verbe principal.

Dans les phrases négatives, les déterminants *un* ou *des*
peuvent être remplacés par *de* au début d'un complément direct du verbe.

Pour être capable de réaliser ce genre de tableau,
*j'ai suivi **des** cours de peinture.*

Pour être capable de réaliser ce genre de tableau,
*je n'ai pas suivi **de** cours de peinture.*

8 Transformez les phrases positives suivantes en phrases négatives et soulignez
les marques de négation.

EXEMPLE

J'arrive toujours à l'heure à mes rendez-vous.

Je n'arrive jamais à l'heure à mes rendez-vous.

a) *Elle nous a écrit plusieurs lettres pendant son périple en Europe.*

_____

_____

b) *Depuis qu'elle est revenue de vacances, quelqu'un l'a vue.*

_____

_____

c) *À mon avis, quelque chose de grave lui est arrivé.*

_____

d) *Elle a toujours été imprudente.*

_____

e) *Quoi qu'il en soit, elle refera un voyage à l'autre bout du monde l'année prochaine.*

_____

_____

9 Corrigez les phrases suivantes.

EXEMPLE

Tu veux jamais venir chez moi.

Tu ne veux jamais venir chez moi.

a) *On a jamais vu une chose pareille arriver chez nous.*

_____

b) *Dans cette classe, je ne connais pas personne qui fait régulièrement ses devoirs.*

Dans cette classe, je ne connais personne qui fait régulièrement

_____

c) *Va pas marcher dehors par ce temps.*

_____

d) *Il a rien mangé depuis hier soir, ce qui est plutôt inquiétant quand on le connaît.*

_____

_____

e) *Je ne veux pas rien dire de désobligeant sur quelqu'un qui a toujours été extrêmement gentil avec moi.*

_____

_____

⊙ LA FORME ACTIVE OU PASSIVE ⊙

Pour obtenir une phrase passive à partir d'une phrase active, il faut appliquer à cette dernière plusieurs manipulations :

- **inversion de l'ordre de certains éléments de la phrase** (le sujet et le complément direct du verbe) ;

- **remplacement du verbe de la phrase active** par l'auxiliaire *être* suivi du participe passé du verbe de la phrase active ;

- **ajout de la préposition *par*.**

[Les camelots] distribuent [tous les journaux].   = phrase active

[Tous les journaux] **sont** *distribués [**par** les camelots].*   = phrase passive

Parfois, la phrase peut être incomplète, c'est-à-dire qu'elle ne contient pas de complément introduit par *par* :

[On] distribue [tous les journaux].   = phrase active

[Tous les journaux] **sont** *distribués* ~~[par on]~~ .   = phrase passive

Les phrases passives alourdissent un texte ; il faut donc les utiliser avec modération.

10 Déterminez si les phrases suivantes sont passives ou non.   *être, par, result = #1*

EXEMPLE

	Oui	Non
L'hiver a été long. → intransitif, peut pas transformer	☐	☒
a) *Le printemps est arrivé très tard cette année.*	☐	☒
→ auxiliare avoir, grande non		
b) *Le Québec a même subi une tempête de neige au mois d'avril.*	☐	☒
c) *Cependant, la neige a vite été balayée par le vent.*	☒	☐
→ can't make it active		
d) *Par la suite, la pluie verglaçante est tombée pendant deux ou trois heures.*	☐	☒
e) *Le verglas a provoqué un gigantesque carambolage sur l'autoroute.* ↳ pas verbe être	☐	☒
f) *Plusieurs voitures étaient renversées sur le bas-côté de la route.*	☒	☐
g) *De nombreux fils électriques ont été sectionnés, privant des milliers de foyers d'électricité.*	☒	☐
h) *Leur réparation a duré une longue semaine.*	☐	☒
i) *Tout cela avait été annoncé par les météorologues.*	☒	☐
j) *Pourtant, tout le monde a été pris par surprise.*	☒	☐

On a pris tout le monde par surprise

11 Transformez les phrases actives suivantes en phrases passives.   *every passive can be active but not every active can become passive.*

EXEMPLE

La toute-puissance de la presse crée parfois des incongruités.

*Des incongruités **sont** parfois créées **par** la toute-puissance de la presse.*

a) *Certains journaux, qui veulent atteindre un large public, annoncent constamment de nouvelles catastrophes.*

De nouvelles catastrophes sont /constamment annoncées /par certains journaux, qui veulent atteindre un large public.

b) *Leurs journalistes rédigent des articles prédisant des désastres terrifiants.*

Des articles prédisant des désastres terrifants sont rédigés par leur journalistes.

c) *Étrangement, bien des gens achètent ces publications.*

Étrangement, ces publications

d) *Ces lecteurs, tranquillement assis dans leur demeure douillette, dévorent avidement les prévisions les plus sinistres.*

Les prévisions les plus sinistres sont dévorés avidement par ces lecteurs, tranquillement assis dans leur demeure douillette.

comp.
e) *Parfois, on dépense de l'argent pour des produits qui n'en valent pas la peine.*

Parfois, de l'argent est dépensé pour des produits qui n'en valent pas la peine.

12 Recopiez le texte suivant en transformant toutes les phrases passives en phrases actives.

Les écrivains romantiques étaient obsédés par la mort. Pour eux, elle représentait parfois une punition, parfois un soulagement, parfois l'anéantissement de tous leurs projets. Souvent, elle était crainte parce qu'elle séparait les amants ou les familles. Cependant, elle était espérée par les personnages aux prises avec une passion déchirante ou un amour impossible. Ce thème tient beaucoup moins de place chez les réalistes. En effet, ils sont davantage intéressés par le quotidien et ses vicissitudes.

_____
_____
_____
_____
_____
_____
_____
_____
_____
_____
_____

⊚ LA FORME NEUTRE OU EMPHATIQUE ⊚

La forme emphatique permet d'insister sur une partie de la phrase. Elle se construit à l'aide d'une des deux manipulations suivantes :

• reprise par un pronom de l'élément mis en emphase ;

• encadrement de l'élément mis en emphase par *c'est... qui/ce sont... qui/c'est... que/ ce sont... que/ce qui..., c'est/ce que..., c'est/etc.*

Ces manipulations sont parfois accompagnées d'un déplacement.

Ma meilleure amie a fait le voyage de ses rêves.

Exemples de reprise par un pronom de l'élément mis en emphase, présenté entre crochets ci-dessous :

*[Ma meilleure amie], **elle** a fait le voyage de ses rêves.*
***Elle** a fait le voyage de ses rêves, [ma meilleure amie].*
*Ma meilleure amie **l'**a fait, [le voyage de ses rêves].*
*[Le voyage de ses rêves], ma meilleure amie **l'**a fait.*

Exemples d'encadrement de l'élément mis en emphase :

***C'est** [ma meilleure amie] **qui** a fait le voyage de ses rêves.*
***C'est** [le voyage de ses rêves] **qu'**a fait ma meilleure amie.*
***Ce que** ma meilleure amie a fait, **c'est** [le voyage de ses rêves].*

g

13 À partir de chacune des phrases suivantes,

C1 construisez deux phrases emphatiques différentes, dont au moins une avec déplacement, qui insistent sur l'élément entre crochets ;

C2 soulignez les marqueurs d'emphase.

! Dans la phrase emphatique, l'élément repris par un pronom doit être détaché par une virgule.

En revanche, on ne doit pas séparer par une virgule unique les deux éléments formant les marqueurs emphatiques suivants : *c'est (ce sont)... qui/c'est (ce sont)... que.*

E XEMPLE

La vie de famille demande [de la patience].
C'est [de la patience] que demande la vie de famille.
[De la patience], la vie de famille en demande.

a) *[Les chatons] ont griffé les pattes du fauteuil.*

_____

_____

b) *Les chiens ont traîné [de la boue] dans la maison.*

_____

_____

c) *[Mon frère et moi] nous sommes disputés toute la matinée.*

_____

_____

d) *Maman a besoin [de se changer les idées].*

_____

_____

e) *Elle va téléphoner [à sa meilleure amie].*

_____

_____

⊙ L'ACCORD DU VERBE AVEC LE SUJET MIS EN EMPHASE ⊙

Lorsque le sujet est encadré par *c'est... qui* ou *ce sont... qui*, il peut être utile d'enlever les marques de transformation pour vérifier l'accord du verbe avec son sujet.

C'est ⎡*toi et moi*⎤ **qui** *allons nettoyer tout ce désordre avant l'arrivée des parents.*

⎡*Toi et moi*⎤ *allons nettoyer tout ce désordre avant l'arrivée des parents.*

14 Dans chacun des cas suivants,

    C1 recopiez la phrase emphatique sans les marques d'emphase ;

    C2 écrivez le sujet dans le tableau ;

    C3 pronominalisez le sujet ;

    C4 corrigez les fautes d'accord du verbe.

E XEMPLE

À la maison, c'est toi qui t'occupe de payer les factures.

À la maison, tu t'occupe de payer les factures.

Sujet	Pronom de remplacement
Tu	*tu*

*À la maison, c'est toi qui t'occupe**s** de payer les factures.*

a). *Dans* La Bête humaine *de Zola, c'est tous les personnages qui se conduit comme des animaux.*

_____

Sujet	Pronom de remplacement

b) *Demain, c'est ton père et toi qui feront la vaisselle.*

Sujet	Pronom de remplacement

c) *C'est Martin qui leur envoient toute la documentation nécessaire à la préparation de leur voyage.*

_____

Sujet	Pronom de remplacement

d) *Chaque fois que nous nous réunissons, c'est toi qui décide à quel jeu nous allons jouer.*

_____

Sujet	Pronom de remplacement

e) *C'est moi qui vous écrirez la première.*

Sujet	Pronom de remplacement

f) *La prochaine fois que nous jouerons à cache-cache, c'est elles qui nous chercherons.*

_____

Sujet	Pronom de remplacement

g) *Quoi que tu en dises, c'est moi qui a raison.*

Sujet	Pronom de remplacement

h) *C'est l'un d'entre nous qui resterons pour garder la tente pendant toute la nuit.*

_____

Sujet	Pronom de remplacement

i) *C'est toi et moi qui font la meilleure tarte au sucre du village.*

_____

Sujet	Pronom de remplacement

j) *C'est nous qui leur répondront par courrier.*

Sujet	Pronom de remplacement

⊙ LA FORME PERSONNELLE OU IMPERSONNELLE ⊙

La forme impersonnelle se construit à l'aide de deux manipulations :

- **déplacement du sujet après le verbe** ;

- **ajout, avant le verbe, du pronom impersonnel** *il*, **qui devient le sujet**
  (le *il* impersonnel ne peut pas être remplacé par *elle*).

Plusieurs centaines de personnes sont entrées dans la salle de spectacle samedi soir.

Il est entré plusieurs centaines de personnes dans la salle de spectacle samedi soir.

Bien sûr, comme le sujet change, il faut accorder le verbe avec son nouveau sujet.

---

15 Transformez les phrases personnelles suivantes en phrases impersonnelles
(attention à l'accord du verbe avec son sujet).

> **E**XEMPLE
>
> *De nombreux incidents se produisent sur cette chaîne de montage.*
> **Il se produit** de nombreux incidents sur cette chaîne de montage.

a) *Dans cette région aride, aucun arbre ne pousse.*

Dans cette région aride, il ne pousse aucun arbre.

b) *Aucune pluie ne tombe sur cette terre desséchée.*

Il ne tombe aucune pluie sur cette terre desséchée.

c) *Chaque été, beaucoup de touristes viennent dans cette région.*

Chaque été, il vient beaucoup de touristes dans cette région.

d) *Des événements très surprenants arrivent dans ce château.*

Il arrive des événements très surprenants dans ce château.

e) *Beaucoup de candidats se sont présentés à ce concours international.*

Il s'est présenté beaucoup de candidats à ce concours international.

Exercices de récapitulation

Encerclez la lettre correspondant à la bonne réponse.

1. Quelle est la phrase non transformée (déclarative, positive, active,
neutre et personnelle) ?

$$\overline{10}$$

a) *L'important, c'est de ne jamais se décourager.*

b) *Il manque une petite cuillère dans ta boîte à lunch.*

c) *Cette randonnée était prévue depuis longtemps.*

d) *Je sais comment faire cuire du lapin pour qu'il ne soit pas sec.*

2. Quelle est la phrase déclarative (elle n'est donc ni impérative, ni exclamative ni interrogative) ?

    a) *Quelle période épouvantable elle a vécue !*

    b) *C'est ce genre de chose que je ne voudrais pas avoir à vivre.*

    c) *Est-ce que c'est toi qui as téléphoné ce matin ?*

    d) *N'enlève pas tes pansements avant plusieurs jours.*

3. Quelle est la phrase passive ?

    a) *Les spectateurs sont venus en grand nombre assister au défilé.*

    b) *Mon grand-père est mort à 98 ans.*

    c) *Le chemin qui mène au refuge n'a pas été déblayé.*

    d) *Mon grand-père est totalement désœuvré depuis qu'il est à la retraite.*

4. Quelle est la phrase emphatique ?

    a) *Quelle triste période nous avons traversée !*

    b) *Je suis tellement contente que les vacances soient enfin arrivées.*

    c) *Pourquoi le professeur répète-t-il encore et encore les mêmes choses ?*

    d) *Ne me les raconte plus jamais, tes histoires tordues.*

5. Quelle est la phrase impersonnelle ?

    a) *Il ne rentre que vingt livres dans cette boîte.*

    b) *Il rentre tous les soirs à des heures impossibles.*

    c) *Il arrive de plus en plus tôt le matin.*

    d) *Il vient voir son vieux père infirme au moins une fois par semaine.*

6. Quelle est la phrase déclarative correctement construite ?

    a) *La prochaine fois que tu le verras, tu lui demanderas comment sa cousine va-t-elle.*

    b) *La prochaine fois que tu le verras, demande-lui comment va sa cousine.*

    c) *La prochaine fois que tu le verras, tu lui demanderas comment va sa cousine.*

    d) *La prochaine fois que tu le verras, tu lui demanderas comment va sa cousine ?*

7. Quelle est la phrase interrogative correctement construite ?

    a) *Pourquoi ne restes-tu pas plus longtemps avec nous.*

    b) *Je ne sais pas s'il va guérir de son cancer.*

    c) *Demande-lui combien de temps dure le trajet pour aller chez elle ?*

    d) *Où est-ce que tu veux aller étudier l'année prochaine ?*

8. Quelle est la phrase négative correctement construite ?

    a) *On a pas besoin d'avoir beaucoup d'argent dans la vie pour être heureux.*

    b) *Ne répète jamais à personne les confidences que je viens de faire.*

    c) *Au festival de jazz, nous n'avons pas rencontré personne de connu.*

    d) *Ces pinceaux, on n'en a besoin pour faire de l'aquarelle.*

9. Quelle est la phrase emphatique correctement écrite ?

    a) *C'est pas Frédéric et toi qui nous aidaient le plus souvent l'année dernière.*

    b) *Ma blonde et moi, on a acheté un chalet au bord d'une rivière.*

    c) *Quel mauvais caractère tu as !*

    d) *Il n'a jamais pu réussir ce cours, Mario.*

10. Quelle est la phrase correctement écrite ?

    a) *Marie et moi, on est fâché depuis déjà plusieurs années.*

    b) *Parles le plus souvent possible à ceux que tu aimes et qui sont loin.*

    c) *Pourquoi Charles et toi allez-vous habiter à l'étranger ?*

    d) *On a jamais assez de temps pour faire tout ce qu'on veut.*

3.2 SYNTHÈSE PRATIQUE

◎ TRANSFORMATION UNIQUE ◎

Lorsqu'on sait reconnaître les marques de transformation, on peut déterminer le type et les formes d'une phrase. On peut également la rendre conforme au modèle de base et délimiter ses constituants de base.

Phrase transformée :

Pourquoi François et Jacques se lèvent-ils si tôt un dimanche matin ?

Type	Formes			
déclaratif <u>interrogatif</u> impératif exclamatif	<u>positive</u> ou négative	<u>active</u> ou passive	<u>neutre</u> ou emphatique	<u>personnelle</u> ou impersonnelle

Phrase conforme au modèle de base :

François et Jacques se lèvent si tôt un dimanche matin pour une raison.

Pronom de remplacement	Sujet	Prédicat	CP (le cas échéant)
ils	*François et Jacques*	*se lèvent si tôt*	*un dimanche matin pour une raison*

1 Indiquez le type et les formes des phrases suivantes.

EXEMPLE

Va te laver les mains avant de passer à table.

Type	Formes			
déclaratif interrogatif <u>impératif</u> exclamatif	<u>positive</u> ou négative	<u>active</u> ou passive	<u>neutre</u> ou emphatique	<u>personnelle</u> ou impersonnelle

a) *Les deux randonneuses n'ont jamais réussi à monter la côte tellement le sol était glissant.*

Type | Formes

déclaratif interrogatif impératif exclamatif	positive ou négative	active ou passive	neutre ou emphatique	personnelle ou impersonnelle

b) *Comme Élizabeth était belle dans sa robe de mariée !*

Type | Formes

déclaratif interrogatif impératif exclamatif	positive ou négative	active ou passive	neutre ou emphatique	personnelle ou impersonnelle

c) *Il court de drôles d'histoires sur son compte.*

Type | Formes

déclaratif interrogatif impératif exclamatif	positive ou négative	active ou passive	neutre ou emphatique	personnelle ou impersonnelle

d) *Le menuisier a été assommé par une poutre qui s'est décrochée de la charpente.*

Type | Formes

déclaratif interrogatif impératif exclamatif	positive ou négative	active ou passive	neutre ou emphatique	personnelle ou impersonnelle

e) *C'est à cause de toutes les accusations mensongères qui ont été portées contre lui qu'il a quitté le pays.*

Type | Formes

déclaratif interrogatif impératif exclamatif	positive ou négative	active ou passive	neutre ou emphatique	personnelle ou impersonnelle

2 Dans chacun des cas suivants,

C1 indiquez le type et les formes de la phrase ;

C2 recopiez la phrase en enlevant les marques de transformation pour la rendre conforme au modèle de base ;

C3 placez ses principaux constituants dans les cases appropriées du tableau.

E XEMPLE

Cette voiture a été accidentée à trois reprises.

Type | Formes

<u>déclaratif</u> interrogatif impératif exclamatif	<u>positive</u> ou négative	active ou <u>passive</u>	<u>neutre</u> ou emphatique	<u>personnelle</u> ou impersonnelle

On a accidenté cette voiture à trois reprises.

Pronom de remplacement	Sujet	Prédicat	CP (le cas échéant)
il	*On*	*a accidenté cette voiture*	*à trois reprises*

a) *Mourir jeune, c'est triste.*

Type	Formes			
déclaratif interrogatif impératif exclamatif	positive ou négative	active ou passive	neutre ou emphatique	personnelle ou impersonnelle

Pronom de remplacement	Sujet	Prédicat	CP (le cas échéant)

b) *Autour de cette table, il règne un silence lourd de sous-entendus.*

Type	Formes			
déclaratif interrogatif impératif exclamatif	positive ou négative	active ou passive	neutre ou emphatique	personnelle ou impersonnelle

Pronom de remplacement	Sujet	Prédicat	CP (le cas échéant)

c) *Que penses-tu de ta nouvelle école ?*

Type	Formes			
déclaratif interrogatif impératif exclamatif	positive ou négative	active ou passive	neutre ou emphatique	personnelle ou impersonnelle

Pronom de remplacement	Sujet	Prédicat	CP (le cas échéant)

d) *Si vous vous installez là-bas, écrivez-nous le plus souvent possible.*

Type	Formes			
déclaratif interrogatif impératif exclamatif	positive ou négative	active ou passive	neutre ou emphatique	personnelle ou impersonnelle

Pronom de remplacement	Sujet	Prédicat	CP (le cas échéant)

e) *Quel épouvantable souper j'ai été obligé d'avaler hier soir !*

Type	Formes			
déclaratif interrogatif impératif exclamatif	positive ou négative	active ou passive	neutre ou emphatique	personnelle ou impersonnelle

Pronom de remplacement	Sujet	Prédicat	CP (le cas échéant)

◉ TRANSFORMATIONS MULTIPLES ◉

Une phrase syntaxique autonome peut subir plus d'une transformation.

Tu aimerais la rencontrer.
N'aimerais-tu pas la rencontrer ?

Type	Formes			
déclaratif <u>interrogatif</u> impératif exclamatif	positive ou <u>négative</u>	<u>active</u> ou passive	<u>neutre</u> ou emphatique	<u>personnelle</u> ou impersonnelle

Une odeur bizarre émane de ce yogourt pour une raison.
Pourquoi émane-t-il une odeur bizarre de ce yogourt ?

Type	Formes			
déclaratif <u>interrogatif</u> impératif exclamatif	<u>positive</u> ou négative	<u>active</u> ou passive	<u>neutre</u> ou emphatique	personnelle ou <u>impersonnelle</u>

3 Indiquez le type et les formes des phrases suivantes (chaque phrase a subi au moins deux transformations).

E XEMPLE

Ne soyez pas choqués par cette histoire.

Type	Formes			
déclaratif interrogatif <u>impératif</u> exclamatif	positive ou <u>négative</u>	active ou <u>passive</u>	<u>neutre</u> ou emphatique	<u>personnelle</u> ou impersonnelle

a) *Elle n'est pas drôle, ton histoire.*

Type	Formes			
déclaratif interrogatif impératif exclamatif	positive ou négative	active ou passive	neutre ou emphatique	personnelle ou impersonnelle

b) *Où ton frère a-t-il été tué ?*

Type	Formes			
déclaratif interrogatif impératif exclamatif	positive ou négative	active ou passive	neutre ou emphatique	personnelle ou impersonnelle

c) *Ce n'est pas toi qui remporteras ce prix.*

Type	Formes			
déclaratif interrogatif impératif exclamatif	positive ou négative	active ou passive	neutre ou emphatique	personnelle ou impersonnelle

d) *Il ne rentre pas plus de cinq personnes dans cette voiture.*

Type	Formes			
déclaratif interrogatif impératif exclamatif	positive ou négative	active ou passive	neutre ou emphatique	personnelle ou impersonnelle

e) *Ne me demande pas pourquoi les gars qui nous paraissent intéressants sont toujours pris.*

Type	Formes			
déclaratif interrogatif impératif exclamatif	positive ou négative	active ou passive	neutre ou emphatique	personnelle ou impersonnelle

f) *La famille du petit garçon enlevé n'a jamais été contactée par les ravisseurs.*

Type	Formes			
déclaratif interrogatif impératif exclamatif	positive ou négative	active ou passive	neutre ou emphatique	personnelle ou impersonnelle

g) *Il ne me vient aucune idée à l'esprit.*

Type | Formes
déclaratif interrogatif impératif exclamatif	positive ou négative	active ou passive	neutre ou emphatique	personnelle ou impersonnelle

h) *Comme elle a été mal rénovée, cette maison!*

Type | Formes
déclaratif interrogatif impératif exclamatif	positive ou négative	active ou passive	neutre ou emphatique	personnelle ou impersonnelle

i) *Pourquoi n'a-t-il pas été classé, ce dossier ?*

Type | Formes
déclaratif interrogatif impératif exclamatif	positive ou négative	active ou passive	neutre ou emphatique	personnelle ou impersonnelle

j) *Pourquoi ne s'est-il présenté aucun candidat à la dernière édition de ce concours ?*

Type | Formes
déclaratif interrogatif impératif exclamatif	positive ou négative	active ou passive	neutre ou emphatique	personnelle ou impersonnelle

4 Dans chacun des cas suivants,

   C1 indiquez le type et les formes de la phrase ;

   C2 recopiez la phrase en enlevant les marques de transformation pour la rendre conforme au modèle de base ;

   C3 placez ses principaux constituants dans les cases appropriées du tableau.

(Chaque phrase a subi au moins deux transformations.)

E XEMPLE

Pourquoi est-ce que ce petit garçon ne porte jamais de gants ?

Type | Formes
déclaratif <u>interrogatif</u> impératif exclamatif	positive ou <u>négative</u>	<u>active</u> ou passive	<u>neutre</u> ou emphatique	<u>personnelle</u> ou impersonnelle

Ce petit garçon porte toujours des gants pour une raison.

Pronom de remplacement	Sujet	Prédicat	CP (le cas échéant)
il	*Ce petit garçon*	*porte toujours des gants*	*pour une raison*

a) *Aucune solution à ce problème n'a été trouvée par les chercheurs.*

Type	Formes			
déclaratif interrogatif impératif exclamatif	positive ou négative	active ou passive	neutre ou emphatique	personnelle ou impersonnelle

Pronom de remplacement	Sujet	Prédicat	CP (le cas échéant)

b) *Ne pas faire de fautes, ce n'est pas difficile.*

Type	Formes			
déclaratif interrogatif impératif exclamatif	positive ou négative	active ou passive	neutre ou emphatique	personnelle ou impersonnelle

Pronom de remplacement	Sujet	Prédicat	CP (le cas échéant)

c) *Corrige-les, tes fautes.*

Type	Formes			
déclaratif interrogatif impératif exclamatif	positive ou négative	active ou passive	neutre ou emphatique	personnelle ou impersonnelle

Pronom de remplacement	Sujet	Prédicat	CP (le cas échéant)

d) *Comme le papier de cette correspondance secrète est jauni par le temps !*

Type	Formes			
déclaratif interrogatif impératif exclamatif	positive ou négative	active ou passive	neutre ou emphatique	personnelle ou impersonnelle

Pronom de remplacement	Sujet	Prédicat	CP (le cas échéant)

e) *Ne va pas dehors par ce temps.*

Type	Formes			
déclaratif interrogatif impératif exclamatif	positive ou négative	active ou passive	neutre ou emphatique	personnelle ou impersonnelle

Pronom de remplacement	Sujet	Prédicat	CP (le cas échéant)

f) *Comment seront-ils récompensés pour leurs efforts ?*

Type	Formes			
déclaratif interrogatif impératif exclamatif	positive ou négative	active ou passive	neutre ou emphatique	personnelle ou impersonnelle

Pronom de remplacement	Sujet	Prédicat	CP (le cas échéant)

g) *Est-ce que c'est ta voiture qui a été frappée par la foudre ?*

Type	Formes			
déclaratif interrogatif impératif exclamatif	positive ou négative	active ou passive	neutre ou emphatique	personnelle ou impersonnelle

Pronom de remplacement	Sujet	Prédicat	CP (le cas échéant)

h) *Est-ce que c'est ta montre qui traîne par terre près du sofa ?*

Type	Formes			
déclaratif interrogatif impératif exclamatif	positive ou négative	active ou passive	neutre ou emphatique	personnelle ou impersonnelle

Pronom de remplacement	Sujet	Prédicat	CP (le cas échéant)

i) *Ne sois pas découragée par la somme de travail qu'il te reste à faire.*

Type	Formes			
déclaratif interrogatif impératif exclamatif	positive ou négative	active ou passive	neutre ou emphatique	personnelle ou impersonnelle

Pronom de remplacement	Sujet	Prédicat	CP (le cas échéant)

j) *Je n'en suis vraiment pas fière, de cette époque de ma vie.*

Type	Formes			
déclaratif interrogatif impératif exclamatif	positive ou négative	active ou passive	neutre ou emphatique	personnelle ou impersonnelle

Pronom de remplacement	Sujet	Prédicat	CP (le cas échéant)

5 Corrigez le texte suivant. Pour ce faire,

C1 délimitez les phrases syntaxiques autonomes ;

C2 soulignez les marques de transformation qu'elles contiennent ;

C3 corrigez les phrases fautives en les recopiant ;

C4 indiquez le type et les formes des phrases corrigées.

92 CHAPITRE 3 © 2006, Les Éditions CEC inc. • **Reproduction interdite**

Quand on fait des projets, on imagine jamais tout ce qui peut arriver. Vous voulez que je vous raconte mon départ en vacances de l'année dernière ? À Noël, ma famille et moi sommes partis en vacances dans le Nord. Nous ne nous sommes pas laissés arrêter par les lourds flocons qui, dès le matin, voltigeaient dans le ciel. Vous demandez-vous pourquoi avions-nous choisi cette journée-là pour prendre la route ? C'est mon père et moi qui avaient décidé de la date du départ en fonction des prévisions météorologiques. Bref, après à peine une heure de trajet, il nous tombait dessus des nuages de neige à tel point que mon père, qui semblait pourtant sûr de lui, a perdu le contrôle de la situation. Nous avons même pas eu le temps d'avoir peur et nous nous sommes retrouvés au milieu de nulle part, vraisemblablement dans un champ. C'est tirés par une remorqueuse que nous sommes rentrés à la maison.

a) _____

Type	Formes			
déclaratif interrogatif impératif exclamatif	positive ou négative	active ou passive	neutre ou emphatique	personnelle ou impersonnelle

b) _____

Type	Formes			
déclaratif interrogatif impératif exclamatif	positive ou négative	active ou passive	neutre ou emphatique	personnelle ou impersonnelle

c) _____

Type	Formes			
déclaratif interrogatif impératif exclamatif	positive ou négative	active ou passive	neutre ou emphatique	personnelle ou impersonnelle

d) _____

Type	Formes			
déclaratif interrogatif impératif exclamatif	positive ou négative	active ou passive	neutre ou emphatique	personnelle ou impersonnelle

e) _____

Type	Formes			
déclaratif interrogatif impératif exclamatif	positive ou négative	active ou passive	neutre ou emphatique	personnelle ou impersonnelle

3.3 ATELIER DE RÉDACTION

1 À partir des caractéristiques et des groupes inscrits dans chaque tableau,

> C1 écrivez une phrase;
>
> C2 complétez le tableau.

a)

Type	Formes			
<u>déclaratif</u> interrogatif impératif exclamatif	positive ou <u>négative</u>	active ou <u>passive</u>	<u>neutre</u> ou emphatique	<u>personnelle</u> ou impersonnelle

_____

_____

Pronom de remplacement	Sujet	Prédicat	CP (le cas échéant)
			depuis plusieurs années

b)

Type	Formes			
déclaratif interrogatif <u>impératif</u> exclamatif	positive ou <u>négative</u>	<u>active</u> ou passive	neutre ou <u>emphatique</u>	<u>personnelle</u> ou impersonnelle

_____

_____

Pronom de remplacement	Sujet	Prédicat	CP (le cas échéant)
		transmets cette maladie très contagieuse	

c)

Type	Formes			
<u>déclaratif</u> interrogatif impératif exclamatif	positive ou <u>négative</u>	<u>active</u> ou passive	<u>neutre</u> ou emphatique	personnelle ou <u>impersonnelle</u>

_____

_____

Pronom de remplacement	Sujet	Prédicat	CP (le cas échéant)
	beaucoup d'étudiants		

d)

Type	Formes			
déclaratif interrogatif impératif <u>exclamatif</u>	<u>positive</u> ou négative	active ou <u>passive</u>	<u>neutre</u> ou emphatique	<u>personnelle</u> ou impersonnelle

_____

_____

Pronom de remplacement	Sujet	Prédicat	CP (le cas échéant)
	tu		

e)

Type	Formes			
<u>déclaratif</u> interrogatif impératif exclamatif	positive ou <u>négative</u>	<u>active</u> ou passive	neutre ou <u>emphatique</u>	<u>personnelle</u> ou impersonnelle

_____

_____

Pronom de remplacement	Sujet	Prédicat	CP (le cas échéant)
			depuis que nous nous sommes quittés

2 À partir d'un sujet de rédaction en annexe, rédigez un texte de 150 mots en respectant les consignes suivantes.

C1 Rédigez un texte comprenant entre 8 et 10 phrases syntaxiques autonomes.

C2 Découpez les phrases syntaxiques autonomes et numérotez-les.

C3 Vérifiez la ponctuation entre les phrases syntaxiques autonomes.

C4 Après avoir enlevé toutes les marques de transformation, recopiez les phrases dans un tableau inspiré du modèle ci-dessous.

C5 Dans la case prévue à cet effet, indiquez le pronom qui peut remplacer le sujet.

C6 Vérifiez l'accord des verbes principaux avec leur sujet.

C7 Vérifiez la ponctuation dans la phrase :
   – les virgules interdites entre le sujet et le prédicat ;
   – les virgules liées au déplacement du complément de phrase ;
   – les signes de ponctuation liés aux transformations.

Pronom de remplacement	Sujet	Prédicat	CP (le cas échéant)

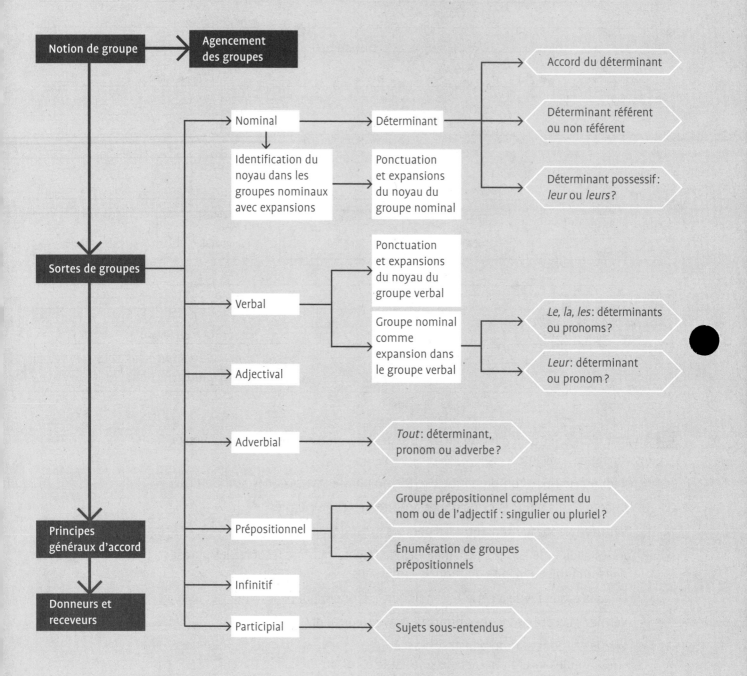

THÉORIE

Ainsi que nous l'avons vu, tous les mots d'une phrase syntaxique autonome appartiennent à l'un ou l'autre de ses constituants qui sont le sujet, le prédicat et le complément de phrase.

Cependant, ce que l'on dit peut varier à l'infini !

Observons les phrases syntaxiques suivantes :

(Hier), ‌*ce garçon, qui pourtant m'avait juré de m'aimer jusqu'à la mort,*‌ *m'a quittée.*

Je‌ *crois que je vais lui faire payer très cher cette trahison.*

Redevenir célibataire‌ *n'était pas dans mon programme (ce mois-ci).*

Que tu sois en colère contre lui‌ *me réjouit.*

Ces phrases sont toutes construites selon le modèle de base : sujet prédicat (complément de phrase), mais on constate que les mots qui les constituent varient grandement.

À l'intérieur de chaque constituant, les mots sont rassemblés en **groupes**.

Le groupe constitue une unité syntaxique organisée selon un certain ordre : nous ne pouvons y déplacer les mots à notre guise.

Ainsi, les phrases suivantes sont incorrectes :

Célibataire redevenir‌ *n'était pas dans mon programme (ce mois-ci).*

Que tu sois en colère contre lui‌ *réjouit me.*

De plus, chaque groupe s'articule autour d'un noyau, qui donne son nom au groupe. Dans son expression la plus simple, un groupe est formé d'un seul mot. Cependant, les groupes s'assemblent fréquemment comme des poupées gigognes : un groupe s'insère dans un autre groupe, lui-même inséré dans un autre groupe... Ces ajouts se nomment *expansions du noyau du groupe.*

DÉMARCHE

Pour écrire sans fautes, vous devez, entre autres :

* reconnaître les groupes et leur noyau ;
* savoir comment ils se construisent ;
* connaître le fonctionnement des mots qui les constituent du point de vue des accords.

4.1 EXPLORATION THÉORIQUE

4.1.1 La notion de groupe

◉ LES PRINCIPES DE CONSTRUCTION DES GROUPES ◉

Les groupes de mots sont construits autour d'un noyau généralement accompagné d'une ou de plusieurs expansions (il arrive assez souvent que le groupe soit constitué d'un seul mot). Le noyau du groupe donne son nom au groupe.

Par exemple,

- un groupe dont le noyau est **un nom** est **un groupe nominal** ;
  le **chat** de ma voisine
- un groupe dont le noyau est **un verbe conjugué** est **un groupe verbal**.
  aimons le chocolat

Par ailleurs, tout groupe commençant par **une préposition** est **un groupe prépositionnel**.
chez le dentiste

Il existe sept sortes de groupes :
- le groupe nominal,
- le groupe adjectival,
- le groupe prépositionnel,
- le groupe participial,

- le groupe verbal,
- le groupe adverbial,
- le groupe infinitif.

---

1 Dans chacun des cas suivants,

C1 soulignez le noyau du groupe ;

C2 précisez la sorte de groupe.

EXEMPLE

Le <u>chalet</u> en bois rond

a) sur la rive du fleuve

b) vraiment beau

c) très rapidement

d) faire de l'escalade

e) contente de ses résultats

f) celui de mon frère

g) décidé à tout pour réussir

h) pour réussir à ouvrir la porte

i) ayant été abandonné à la naissance

j) en allant faire du ski

Sorte de groupe

groupe nominal _____

_____

_____

_____

_____

_____

_____

_____

_____

_____

_____

⊙ L'AGENCEMENT DES GROUPES ⊙

Même si l'on peut relever des constructions particulièrement fréquentes dans la langue française, les groupes s'agencent entre eux en une multitude de combinaisons qu'il faut être capable d'analyser.

*mon **grand-père** mort depuis deux ans*

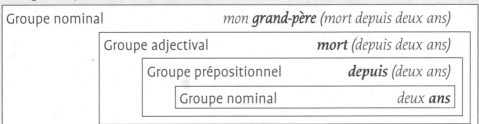

Groupe nominal	*mon **grand-père** (mort depuis deux ans)*
Groupe adjectival	***mort** (depuis deux ans)*
Groupe prépositionnel	***depuis** (deux ans)*
Groupe nominal	*deux **ans***

2 Analysez chacun des groupes suivants. Pour ce faire,

  C1 recopiez chaque groupe dans la case appropriée du tableau;

  C2 à chaque étape, soulignez le noyau du groupe et mettez son expansion entre parenthèses;

  C3 précisez la sorte de groupe.

E X E M P L E

travailler pour réussir

Groupe *infinitif*	*travailler (pour réussir)*
Groupe *prépositionnel*	*pour (réussir)*
Groupe *infinitif*	*réussir*

a) *chez mon cousin germain*

Groupe _____	_____
Groupe _____	_____
Groupe _____	_____

b) *mangeons une crème glacée*

Groupe _____	_____
Groupe _____	_____
Groupe _____	_____

c) *celle de ton oncle*

Groupe _____ _____

    Groupe _____ _____

        Groupe _____ _____

d) *mécontente de perdre*

Groupe _____ _____

    Groupe _____ _____

        Groupe _____ _____

e) *presque complètement terminé*

Groupe _____ _____

    Groupe _____ _____

        Groupe _____ _____

4.1.2 Les différents groupes

◎ LE GROUPE NOMINAL ◎

Le groupe nominal est le premier en importance, quantitativement, dans la phrase.

Son noyau est **un nom** ou **un pronom**. Selon la réalité qu'il désigne, il sera féminin ou masculin, singulier ou pluriel.

Très souvent, ce groupe comprendra aussi un déterminant.

Exemples de groupes nominaux :

DÉTERMINANT	NOM (NOYAU)		DÉTERMINANT	PRONOM (NOYAU)
la	maison			nous
quatre	rangées			plusieurs
	Picasso		les	autres
	Pierre, Jean, Jacques			rien
de la	farine			celui-ci
une	histoire		le	mien
une centaine de	kilomètres			eux
sa	version			tous

3 Dans le texte suivant,

C1 mettez les groupes nominaux entre parenthèses ;

C2 dans chacun d'eux, soulignez le noyau ;

C3 observez où sont toujours placés les déterminants par rapport aux noyaux.

(Pierre) raconte une histoire. Les enfants écoutent attentivement. Je vais derrière la classe pour écouter. Les bambins restent immobiles, leur attention se porte sur le conteur. Celui-ci déclame devant eux. La magie opère.

◉ LE DÉTERMINANT ◉

Le déterminant fait partie du groupe nominal. Il est toujours placé devant le nom (parfois le pronom) qu'il accompagne.

Le déterminant peut être constitué d'un seul mot — on parle alors de **déterminant simple** — ou de plusieurs mots — il s'agit alors d'**un déterminant complexe**.

*un **chat***
*une vingtaine de **chapitres***

∘4 Dans le texte suivant,

C1 mettez entre parenthèses tous les groupes nominaux ;

C2 recopiez-les ensuite dans le tableau et cochez les cases appropriées.

(La fête) est perturbée. Une centaine de manifestants ont envahi l'hôtel. Certains ont marché droit vers les invités. Ils ont aspergé l'assistance avec de l'eau. Tout ce tumulte a attiré trois policiers et plusieurs curieux.

Déterminant	Noyau	Le noyau est...	Le déterminant est... (le cas échéant)
La	fête	[x] un nom [ ] un pronom	[x] simple [ ] complexe
		[ ] un nom [ ] un pronom	[ ] simple [ ] complexe
		[ ] un nom [ ] un pronom	[ ] simple [ ] complexe
		[ ] un nom [ ] un pronom	[ ] simple [ ] complexe
		[ ] un nom [ ] un pronom	[ ] simple [ ] complexe
		[ ] un nom [ ] un pronom	[ ] simple [ ] complexe
		[ ] un nom [ ] un pronom	[ ] simple [ ] complexe

Déterminant	Noyau	Le noyau est...	Le déterminant est... (le cas échéant)
		☐ un nom ☐ un pronom	☐ simple ☐ complexe
		☐ un nom ☐ un pronom	☐ simple ☐ complexe
		☐ un nom ☐ un pronom	☐ simple ☐ complexe
		☐ un nom ☐ un pronom	☐ simple ☐ complexe

◎ L'ACCORD DU DÉTERMINANT ◎

Le déterminant reçoit **les traits grammaticaux** (le genre et le nombre) du nom ou du pronom qu'il accompagne.

la fille / toute la famille / certains jours / du pain / aucuns frais

Cependant, certains déterminants ne prennent que le trait de nombre.
quelques crayons / leur histoire

D'autres sont invariables parce qu'ils désignent déjà une quantité.
beaucoup de voyageurs / cinq façons

Ainsi, les déterminants numéraux sont tous invariables, sauf *vingt* et *cent* quand ils sont multipliés et qu'ils terminent le nombre.

quatre as / mille détours / cent-vingt jours / quatre-vingts dollars / six-cents athlètes / deux-mille-deux-cent-vingt-huit spectateurs[1]

5 Dans le texte suivant,

C1 mettez les couples déterminant/nom entre parenthèses;

C2 encadrez les noms et soulignez leur déterminant;

C3 reliez par une flèche le donneur (nom ou pronom) au receveur (déterminant) d'accord;

C4 corrigez les déterminants qui sont mal accordés.

(Notre été) fut difficile. Nous avions entrepris beaucoups de travaux et certains présentaient quelque problèmes. Tout les gens venus nous conseiller sursautaient devant les

milles défis à relever. Leur mines devant l'ampleur de notre tâche nous décourageaient.

Les quatre-vingt malheurs prédits par ces amis n'ont cependant pas eu lieu.

---

1. Selon les rectifications orthographiques approuvées par l'Académie française en 1990, dans tous les nombres composés, les éléments peuvent être unis par des traits d'union.

⊙ LES DÉTERMINANTS RÉFÉRENTS ET NON RÉFÉRENTS ⊙

Le choix d'un déterminant dans un texte permet d'éliminer certaines répétitions ou d'en resserrer la cohérence. En effet, certains déterminants, qu'on qualifie de *référents*, introduisent un nom qui désigne une réalité déjà mentionnée dans le texte ou une réalité qu'on peut identifier en raison du contexte.

Par exemple, dans les groupes nominaux suivants, tous les déterminants sont **référents**.
mon ami (*Mon* permet de désigner l'ami de la personne qui parle.)
la Lune (*La* sert à désigner un satellite de la Terre connu de tous.)
cette table (*Cette* permet de désigner une table déjà mentionnée.)

On ne peut utiliser un déterminant **référent** si le contexte ne permet pas d'identifier la réalité nommée. Ainsi, il est impossible de commencer un texte par « Cet auteur... », puisqu'il n'a pas encore été fait mention d'un auteur.

D'autres déterminants, qualifiés de ***non référents***, indiquent simplement une quantité (précise ou imprécise) ou alors introduisent un nom qui désigne une réalité qui n'a pas été mentionnée ou qu'il n'importe pas de distinguer dans le contexte.

Voici quelques groupes nominaux contenant des déterminants **non référents** :
cent boîtes
plusieurs amis
du mal
un personnage
certains blocs

6 Dans les phrases suivantes,

C1 mettez tous les groupes nominaux entre parenthèses ;

C2 recopiez chacun des déterminants qui en font partie dans le tableau ;

C3 pour chaque déterminant, cochez la case appropriée.

EXEMPLE

(Cette nuit-là), (la lune) éclairait faiblement (ma chambre).

Déterminant	Type	
Cette	☒ référent	☐ non référent
la	☒ référent	☐ non référent
ma	☒ référent	☐ non référent

a) *Cette consigne indisposait plusieurs employés.*

Déterminant	Type	
	☐ référent	☐ non référent
	☐ référent	☐ non référent

b) *Une nuit, je pris une résolution.*

Déterminant	Type			
	☐ référent		☐ non référent	
	☐ référent		☐ non référent	

c) *De l'aspirine soulagera votre douleur.*

Déterminant	Type			
	☐ référent		☐ non référent	
	☐ référent		☐ non référent	

d) *La femme du boulanger reçoit ses amants dans la boutique.*

Déterminant	Type			
	☐ référent		☐ non référent	
	☐ référent		☐ non référent	
	☐ référent		☐ non référent	
	☐ référent		☐ non référent	

e) *Certains jours, une langueur s'empare de moi.*

Déterminant	Type			
	☐ référent		☐ non référent	
	☐ référent		☐ non référent	

7 Ajoutez les déterminants dans le texte suivant.

Lorsque ___*le*___ soleil se couche sur _____ mer, _____ plage lentement se vide et les vagues prennent _____ teinte de bleu très foncé. J'entreprends alors _____ marche quotidienne. Parfois, je croise _____ touristes ; le plus souvent, je suis seule. _____ solitude va jusqu'à me donner mal à _____ tête ! Je reviens alors à _____ maison, fière de _____ petite expédition et prête à étudier _____ nuit.

⊙ LE DÉTERMINANT POSSESSIF À LA 3ᵉ PERSONNE : ⊙ *LEUR* OU *LEURS* ?

L'utilisation du déterminant possessif à la 3ᵉ personne du pluriel demande réflexion, puisque sa forme au singulier et sa forme au pluriel sont homophones. Il faut donc bien évaluer, selon le contexte, si le nom déterminé doit être singulier ou pluriel.

Le tableau suivant indique un bon moyen de savoir si le nom déterminé est singulier ou pluriel. En effet, quand le possesseur est au singulier, le déterminant devient *son* ou *sa* si le nom déterminé est singulier et *ses* si le nom déterminé est pluriel. Il suffit donc de remplacer le possesseur pluriel par un possesseur singulier pour savoir quel déterminant on utiliserait.

	NOM DÉTERMINÉ (POSSÉDÉ)		
	singulier		pluriel
POSSESSEUR	masculin	féminin	
3ᵉ personne du singulier	son	sa	ses
3ᵉ personne du pluriel	leur		leurs

Les enfants prennent leur bain. (Un enfant prend <u>son</u> bain et non <u>ses</u> bains.)
Les élèves emballent leurs affaires. (Un élève emballe <u>ses</u> affaires.)

8 Dans les phrases suivantes, choisissez le groupe nominal correct.

Quand ils lèvent (leur nez / leurs nez) de (leur copie / leurs copies), les élèves ont les joues rouges et les yeux brillants. Ils ont tous passé (leur soirée / leurs soirées) de la veille à réviser (leur note / leurs notes). Ils ont travaillé fort dans le but d'améliorer (leur résultat / leurs résultats) du trimestre. Ils espèrent que cette performance sera à la hauteur de (leur effort / leurs efforts). Un sourire de (leur professeur / leurs professeurs) les encourage à continuer encore quelques minutes à chercher (leur erreur / leurs erreurs). Échouer est (leur plus grande terreur / leurs plus grandes terreurs). Mais la cloche sonne : ils doivent remettre (leur dissertation / leurs dissertations). C'est la fin de (leur examen / leurs examens).

⊚ L'IDENTIFICATION DU NOYAU DANS LES GROUPES ⊚ NOMINAUX AYANT DES EXPANSIONS

Le groupe nominal est rarement réduit à sa plus simple expression, c'est-à-dire un nom ou un pronom seul, ou un nom accompagné d'un déterminant ; le plus souvent, il comporte une ou des expansions. **Une expansion** est un autre groupe qui s'insère dans le groupe nominal de base, pour en compléter le noyau. Dans le groupe nominal, les expansions sont donc des compléments du nom ou du pronom.

la **voiture** de Martin

Groupe nominal	la **voiture** (de Martin)
Groupe prépositionnel	**de** (Martin)

Lorsqu'on pronominalise un groupe nominal sujet afin d'accorder correctement le verbe, c'est **le noyau** du groupe qui définit quel pronom de remplacement il faut choisir.

	Pronom de remplacement
un petit **garçon** tout mignon	il
la **chanson** que je ne cesse de fredonner	elle
trois **kilos** de sucre	ils

9 Dans chacun des cas suivants, .

C1 encadrez le noyau du groupe nominal ;

C2 indiquez par quel pronom (*je, tu, il, elle, nous, vous, ils, elles, cela*) vous le remplaceriez s'il était sujet.

E X E M P L E   Pronom de remplacement

la plupart des |artistes| _____ils_____

a) *une toute* |petite fille| *qui sourit tout le temps*   _____elle_____

b) |ceux| *qui applaudissent durant le spectacle*   _____ils_____

c) *tout le tour du* |lac| _____cela_____

d) *certains parmi* |eux| _____ils_____

e) |la maison| *où j'ai grandi il y a longtemps*   _____cela_____

f) *marchant dans* |la brousse| *au milieu des animaux sauvages,* |ils| _____cela_____

g) *deux superbes* |piscines| *olympiques*   _____cela_____

h) *le fait que* |tu| *sortes ce soir*   _____cela_____

i) *préoccupés par* |ta santé,| *nous*   _____cela_____

j) *une* |recette de confiture| *maison*   _____cela_____

◉ LA PONCTUATION ET LES EXPANSIONS DU NOYAU ◉ DU GROUPE NOMINAL

Les expansions du noyau du groupe nominal qui ne sont pas des informations essentielles ou qui sont déplacées hors du groupe dans la phrase doivent être encadrées par des virgules ou détachées par une seule virgule si elles sont en tête ou en fin de phrase.

(Tous les voyageurs **, très fatigués ,** *) rentrèrent tôt à l'hôtel.*

*(***Ennuyée ,** Juliette*) quitta la réunion.*

*(Ma tante) émigra(***, désespérée par cette situation politique***).*

10 Dans le texte suivant, encadrez par des virgules les expansions du noyau du groupe nominal (compléments du nom ou du pronom) qui ne sont pas essentielles et qui pourraient être supprimées.

Ma marraine **,** qui est aussi ma tante du côté maternel **,** m'a offert pour mon anniversaire un recueil de nouvelles. L'auteur un écrivain français du XIXᵉ siècle m'est inconnu. J'ai ouvert le paquet rapidement toujours ravie de recevoir des cadeaux. Je ne peux cependant cacher que j'ai été déçue de recevoir un livre qui paraissait aussi austère. J'en ai néanmoins commencé la lecture confortablement installée dans mon lit. Et j'ai finalement découvert un univers que j'adore peuplé de fantômes et de vampires sanguinaires. Ma tante d'abord inquiète de ma réaction s'est félicitée de son choix.

◉ LE GROUPE VERBAL ◉

Le groupe verbal est un autre groupe d'importance dans la phrase. En effet, le prédicat, un constituant essentiel de la phrase, est toujours un groupe verbal.

Le noyau du groupe verbal est **un verbe conjugué à un mode personnel**. Ce verbe conjugué est variable ; il reçoit **les traits grammaticaux** (personne et nom) du sujet.

*Toutes les nuits, je **rêve** de désert et de mers lointaines.*

Le plus souvent, il comporte une ou des expansions.

ai commandé *(une pile de livres)*

Groupe verbal	***ai commandé*** *(une pile de livres)*
	Groupe nominal *une **pile** (de livres)*

as prêté *(ta maison) (à des touristes)*

Groupe verbal	***as prêté*** *(ta maison) (à des touristes)*
Groupe nominal *ta **maison***	Groupe prépositionnel *à (des touristes)*

11 Dans chacune des phrases suivantes,

   C1 soulignez le groupe verbal ;

   C2 encadrez son noyau ;

   C3 mettez chacune des expansions du noyau entre parenthèses.

Trouver le groupe verbal dans ces phrases revient à trouver le prédicat, qui est l'un des principaux constituants d'une phrase syntaxique autonome. Une fois qu'on a trouvé le sujet et le ou les compléments de phrase, on sait que les mots qui restent appartiennent au prédicat.

EXEMPLE

Hier, ma mère a annoncé *(une mauvaise nouvelle) (à toute la famille).*

a) *Pendant toute la soirée, Marie a parlé au téléphone avec son amie Geneviève.*

b) *Je te défends de rire !*

c) *Dès son arrivée au chalet, Bruno a été terrassé par une grippe.*

d) *En voiture, ma petite sœur dort profondément.*

e) *Michèle rayonne depuis l'annonce de la bonne nouvelle.*

⊙ LA PONCTUATION ET LES EXPANSIONS DU NOYAU DU GROUPE VERBAL ⊙

Dans le groupe verbal, il n'y a jamais de signe de ponctuation (virgule, deux-points, etc.) entre le noyau du groupe (le verbe conjugué) et ses expansions.

Un groupe, tel qu'un complément de phrase, peut être inséré entre le verbe et une de ses expansions. Ce groupe est alors isolé par des virgules.

Depuis toujours, mes parents vont, (tous les étés),
au bord de la mer.

12 Dans les phrases suivantes, corrigez la ponctuation si c'est nécessaire.

EXEMPLE

Monique parle de sa rencontre avec le premier ministre, à tous les gens qu'elle rencontre.
Monique parle de sa rencontre avec le premier ministre à tous les gens qu'elle rencontre.

a) *Pierre est fier, il a accompli tout ce qu'il voulait faire.*

b) *La nuit dernière, Martine a longuement réfléchi, à cette question.*

c) *Véronique achète un chandail, une veste et deux camisoles.*

d) *Il est évident, que nous devrons faire le ménage de la cuisine.*

e) *Élisabeth discute de cette théorie rocambolesque, avec tous ceux qu'elle croise dans le corridor.*

f) *Myriam ne peut, l'été, faire deux pas sans mettre de la crème solaire.*

g) *Léo ne dévoile à personne sa recette spéciale de carrés au chocolat.*

h) *À l'heure de pointe, Micheline déteste conduire, au centre-ville.*

i) *Les matchs de hockey sont, moins violents, que par le passé.*

j) *Tous les soirs, avant d'aller dormir, Gisèle boit une tisane et un verre d'eau.*

⊙ LE GROUPE NOMINAL COMME EXPANSION DANS LE GROUPE VERBAL ⊙

nous **accompagnent**

Groupe verbal		*nous* **(accompagnent)**
	Groupe nominal	***nous***

Le groupe nominal est sans doute l'expansion la plus courante dans le groupe verbal. Il arrive souvent que son noyau soit un pronom. Parmi les groupes nominaux formés d'un pronom, voici les plus courants :

me, te, se, nous, vous, le, la, les, lui, leur, en, y.

Ces pronoms sont toujours placés avant le verbe noyau dans le groupe verbal où ils s'insèrent, sauf si le verbe est à l'impératif (ex. : *parlez-lui*).

Ils (se) **parlent** *pendant des heures.*
Son supérieur (lui) **a promis** *(une augmentation de salaire).*
Véronique (les) **regarde.**

13 Dans les phrases suivantes,

C1 soulignez les groupes verbaux ;

C2 encadrez les groupes nominaux qui sont des expansions du noyau du groupe verbal, le cas échéant.

EXEMPLE

Hier soir, je me *suis décidé à aller voir une comédie au cinéma.*

a) *Depuis le début de la projection, deux dames assises derrière moi discutaient des revirements du scénario.*

b) *Elles m'ont reproché de manger mon maïs soufflé trop bruyamment.*

c) *Vexé, je leur ai proposé un marché : si elles cessaient leur bavardage, je leur promettais que je ne mangerais plus.*

d) *Elles sont restées silencieuses ; j'en ai déduit qu'elles regrettaient leur désagréable comportement et, bon joueur, j'ai abandonné mon sac de maïs soufflé.*

e) *À la fin du film, nous nous sommes salués, un peu gênés.*

⊙ *LE, LA, LES* : DÉTERMINANTS OU PRONOMS ? ⊙

L'identification de la catégorie de certains constituants du groupe nominal présente une difficulté : dans le groupe nominal, *le*, *la* et *les* peuvent être **pronoms** ou **déterminants**. S'ils précèdent un verbe, ils sont pronoms. S'ils accompagnent un nom, ils sont déterminants.

déterminant   pronom
La *maison de Maurice, je* **la** *trouve magnifique.*

Le, la et *les* peuvent être séparés du nom qu'ils déterminent ou du verbe qu'ils complètent par une autre expansion qui fait écran.

14 Dans le texte suivant, déterminez si les mots soulignés sont pronoms ou déterminants. Pour ce faire, remplissez le tableau.

Marc et Guillaume ont eu une discussion enflammée à propos de <u>la</u> possibilité d'une vie extraterrestre. Marc croit que **(a)** <u>la</u> chose est possible. Il **(b)** <u>la</u> pense même fort probable. Selon lui, **(c)** <u>la</u> vie ne peut être apparue seulement ici ; dans tout l'univers, il serait normal de **(d)** <u>la</u> retrouver sur d'autres planètes. Cela **(e)** <u>le</u> rend rêveur : « Quand ces lointains voisins viendront-ils nous voir ? », demande-t-il. Guillaume, à ce moment, **(f)** <u>le</u> rabroue toujours : « On **(g)** <u>le</u> saurait, voyons, s'il y avait des extraterrestres ! On **(h)** <u>les</u> aurait vus, on aurait capté **(i)** <u>les</u> signes de leur existence avec nos puissants radars tournés vers **(j)** <u>les</u> insondables profondeurs du cosmos ».

$\bigcirc = \checkmark$

EXEMPLE

Analyse	Identification de la catégorie
Mot auquel se rapporte *la* : *possibilité* Ce mot est : [x] un nom [ ] un verbe	*la* est donc : [x] un déterminant [ ] un pronom

✓ **a)**

Mot auquel se rapporte *la* : chose Ce mot est : [X] un nom [ ] un verbe	*la* est donc : [X] un déterminant [X] un pronom

✓ **b)**

Mot auquel se rapporte *la* : pense Ce mot est : [ ] un nom [X] un verbe	*la* est donc : [ ] un déterminant [X] un pronom

✓ **c)**

Mot auquel se rapporte *la* : vie Ce mot est : [X] un nom [ ] un verbe	*la* est donc : [X] un déterminant [ ] un pronom

✓ **d)**

Mot auquel se rapporte *la* : retrouver Ce mot est : [ ] un nom [x] un verbe	*la* est donc : [ ] un déterminant [X] un pronom

✗ **e)**

Mot auquel se rapporte *le* : rend Ce mot est : [ ] un nom [X] un verbe	*le* est donc : [~~X~~] un déterminant (X) un pronom

✗ **f)**

Mot auquel se rapporte *le* : raboue Ce mot est : [~~X~~] un nom (X) un verbe	*le* est donc : [~~X~~] un déterminant [X] un pronom

✗ **g)**

Mot auquel se rapporte *le* : saurait Ce mot est : [ ] un nom [X] un verbe	*le* est donc : [~~X~~] un déterminant [X] un pronom

✓ **h)**

Mot auquel se rapporte *les* : aurait Ce mot est : [ ] un nom [X] un verbe	*les* est donc : [ ] un déterminant [X] un pronom

✓ **i)**

Mot auquel se rapporte *les* : signes Ce mot est : [X] un nom [ ] un verbe	*les* est donc : [X] un déterminant [ ] un pronom

✓ **j)**

Mot auquel se rapporte *les* : __insondables__	*les* est donc :
Ce mot est : ☒ un nom ☐ un verbe	☒ un déterminant ☐ un pronom

◉ *LEUR* : DÉTERMINANT OU PRONOM ? ◉

Le mot ***leur*** peut, tout comme *le*, *la* et *les*, être déterminant (s'il est placé devant un nom) ou pronom (s'il est placé devant un verbe). S'il est pronom, il reste invariable ; s'il est déterminant, il s'accorde avec le nom qu'il accompagne.

déterminant
Leurs *attentes sont très grandes.*

pronom
Je ***leur*** *ai conseillé d'attendre.*

suivie par un verbe = pronom?

g

15 Dans les phrases suivantes,

C1 déterminez si les mots soulignés sont pronoms ou déterminants (pour ce faire, remplissez le tableau) ;

C2 accordez les déterminants correctement.

leur = dét partie de G̶N̶
leur = pronom partie de GV (inv)

En obéissant à **leur** demandes répétées, j'ai appelé mes parents hier soir. Je **(a)** leur ai dit que j'étais contente et je **(b)** leur ai répété que mon voyage se passait bien. Je **(c)** leur ai fait valoir que les aventures forment la jeunesse et que **(d)** leur inquiétudes ne me feraient pas revenir sur ma décision de me promener durant tout l'été en Europe. J'entendais bien **(e)** leur conseils et je sentais **(f)** leur angoisse, cela m'a attendrie. Je **(g)** leur ai promis de **(h)** leur acheter des souvenirs et de **(i)** leur écrire un courriel toutes les semaines. Je **(j)** leur dois bien cela : ils ont payé mon billet d'avion !

E XEMPLE

Analyse	Identification de la catégorie	Correction de *leur* si nécessaire
Mot auquel se rapporte *leur* : *demandes* Ce mot est : ☒ un nom ☐ un verbe	*leur* est donc : ☒ un déterminant ☐ un pronom	*leurs*
a) Mot auquel se rapporte *leur* : __ai dit__ Ce mot est : ☐ un nom ☒ un verbe	*leur* est donc : ☐ un déterminant ☒ un pronom	
b) Mot auquel se rapporte *leur* : __ai répété__ Ce mot est : ☐ un nom ☒ un verbe	*leur* est donc : ☐ un déterminant ☒ un pronom	
c) Mot auquel se rapporte *leur* : __ai fait__ Ce mot est : ☐ un nom ☒ un verbe	*leur* est donc : ☐ un déterminant ☒ un pronom	
d) Mot auquel se rapporte *leur* : __inquiétudes__ Ce mot est : ☒ un nom ☐ un verbe	*leur* est donc : ☒ un déterminant ☐ un pronom	*leurs*

e)

Mot auquel se rapporte *leur* : conseils Ce mot est : ☒ un nom ☐ un verbe	*leur* est donc : ☒ un déterminant ☐ un pronom

leurs

f)

Mot auquel se rapporte *leur* : angoisse Ce mot est : ☒ un nom ☐ un verbe	*leur* est donc : ☒ un déterminant ☐ un pronom

g)

Mot auquel se rapporte *leur* : ai promis Ce mot est : ☐ un nom ☒ un verbe	*leur* est donc : ☐ un déterminant ☒ un pronom

h)

Mot auquel se rapporte *leur* : acheter Ce mot est : ☐ un nom ☒ un verbe	*leur* est donc : ☐ un déterminant ☒ un pronom

i)

Mot auquel se rapporte *leur* : écrire Ce mot est : ☐ un nom ☒ un verbe	*leur* est donc : ☐ un déterminant ☒ un pronom

j)

Mot auquel se rapporte *leur* : dois Ce mot est : ☐ un nom ☒ un verbe	*leur* est donc : ☐ un déterminant ☒ un pronom

◉ LE GROUPE ADJECTIVAL ◉

Le groupe adjectival est l'une des expansions les plus courantes dans le groupe nominal. Son noyau est **l'adjectif** ou **le participe passé**.

Tout comme le déterminant, l'adjectif et le participe passé reçoivent les traits grammaticaux du nom noyau ou du pronom noyau qu'ils complètent dans le groupe nominal.

Le groupe adjectival peut lui aussi contenir des expansions.

déçu *de ses résultats*

Groupe adjectival	***déçu*** *(de ses résultats)*
Groupe prépositionnel	***de*** *(ses résultats)*

16 Après avoir lu le texte suivant,

C1 recopiez chaque groupe nominal contenant au moins un groupe adjectival ;

C2 encadrez son noyau ;

C3 reliez par une flèche le nom ou le pronom (donneur d'accord) à l'adjectif ou aux adjectifs qui le complètent (receveurs d'accord) ;

C4 corrigez les adjectifs qui sont mal accordés.

La semaine passé, ma sœur et moi sommes allées au cinéma. On y présentait

une <u>vieille</u> comédie musical américaine, rempli de clichés adorable. La vedette principal, une jeune femme aux formes exubérants, ne cessait de passer du désespoir complète à la joie total, à cause d'un scénario invraisemblables. En visionnant ce navet, nous avons mangé tout notre maïs soufflé, hilare. Un chef-d'œuvre nous aurait moins diverties!

La semaine passée _____

_____
_____
_____
_____
_____
_____
_____
_____

◉ LE GROUPE ADVERBIAL ◉

On peut trouver un groupe adverbial dans un groupe verbal, un groupe adjectival ou un groupe adverbial.

Son noyau, **l'adverbe**, est toujours invariable.

Ses expansions ne peuvent être que des groupes adverbiaux.

extrêmement **bien**

Groupe adverbial	*(extrêmement)* **bien**
Groupe adverbial	***extrêmement***

g

17 Dans chacun des cas suivants,

C1 soulignez le noyau du groupe;

C2 cochez la case pertinente.

EXEMPLE	Groupe verbal contenant un groupe adverbial	Groupe adjectival contenant un groupe adverbial	Groupe adverbial contenant un autre groupe adverbial
vite trouvée	☐	☒	☐
a) *tellement mal habillée*	☐	☒	☒
b) *dormait profondément*	☒	☐	☐
c) *un peu mélodramatiques*	☐	☒	☐
d) *beaucoup trop*	☐	☒	☒

	Groupe verbal contenant un groupe adverbial	Groupe adjectival contenant un groupe adverbial	Groupe adverbial contenant un autre groupe adverbial
e) *très longues*	☐	☒	☐
f) *oubliera aussitôt*	☒	☐	☐
g) *très longtemps*	☐	☐	☒
h) *pas particulièrement*	☐	☒	☒
i) *empilera pêle-mêle*	☒	☐	☐
j) *plus ou moins réussies*	☐	☒	☐

> Certains adjectifs peuvent être employés comme adverbes. Ils complètent alors le verbe, un autre adjectif ou un adverbe et sont invariables.
>
> *Elles chantent **faux**.*

18 Dans les groupes nominaux suivants, certains adverbes sont mal écrits. Corrigez-les.

EXEMPLE

*des exercices **vraiments** difficiles*   *des exercices vraiment difficiles*

a) *des hommes extrêmements forts* _____

b) *des dossiers classés pêles-mêles* _____

c) *des exercices vites complétés* _____

d) *ces vies mals vécues* _____

e) *de trop grands espoirs* _____

f) *une fille fort téméraire* _____

g) *ces chemins peus fréquentés* _____

h) *mes neveux tellements timides* _____

i) *ces fleurs attachées ensembles* _____

j) *de biens belles idées* _____

19 Dans les phrases suivantes, corrigez les adverbes, s'il y a lieu.

EXEMPLE

Les gars sont arrivés avants.

Les gars sont arrivés avant.

a) *Les opérations fonctionnent biens.*

_____

b) *À tous les repas, les garçons mangeaient trop.*

_____

c) *Martin et Luc sont partis vites.*

_____

d) *Jessica et son copain calculent mal leurs dépenses.*

_____

e) *Tous les participants dans cette affaire se tiennent debouts devant la critique.*

_____

f) *Elles parlaient beaucoup trop fort.*

_____

g) *Lucie et Cassandre partent ensembles pour Vancouver.*

_____

h) *Elles n'ont pas beaucoup l'habitude de fêter leurs bons coups.*

_____

i) *Les fillettes riaient peu.*

_____

j) *Cette fragrance sent bonne.*

_____

◎ *TOUT* : DÉTERMINANT, PRONOM OU ADVERBE ? ◎

Le mot *tout* n'appartient pas toujours à la même classe de mots ; parfois il est pronom, parfois il fait partie d'un déterminant complexe et parfois il est adverbe.

S'il est **déterminant**, *tout* reçoit les traits grammaticaux du nom noyau du groupe nominal.
toute *la vie*

S'il est **pronom**, il a les traits grammaticaux du nom qu'il remplace.
Les garçons sont partis tard, **tous** *avaient beaucoup bu.*

S'il est **adverbe**, *tout* est invariable, comme tous les adverbes.
une fille **tout** *émue*
les genoux **tout** *égratignés*

Cependant, placé devant un adjectif féminin qui commence par une consonne ou un *h* aspiré, il s'accorde comme un adjectif.
une route **toute** *cabossée*

20 Dans le texte suivant,

remplacer par un mot de la même classe

C1. écrivez le mot *tout* comme il se doit;

C2. justifiez votre choix, en indiquant dans les parenthèses la classe à laquelle il appartient.

Suzanne était **tou** *t* (déterminant / adverbe / pronom) énervée; **(a)** tou *te* *(adj)* (déterminant / adverbe / pronom) son attention était concentrée sur l'arrivée imminente de **(b)** tou ~~tes~~ *tous* (déterminant / adverbe / pronom) les amis qu'elle avait invités pour célébrer l'anniversaire de Simon. **(c)** Tou *tes* (déterminant / adverbe / pronom) les minutes, elle vérifiait si **(d)** tou *s* (déterminant / adverbe / pronom) les choses étaient en ordre : le buffet s'étalait sur la table, appétissant; **(e)** tou *t* (déterminant / adverbe / pronom) les murs étaient joliment décorés; la musique créait **(f)** tou *t* *complexe* (déterminant / adverbe / pronom) une ambiance déjà. Soudain, les invités furent là, **(g)** tou *s* (déterminant / adverbe / pronom) prêts à s'amuser. Quand le téléphone sonna, ce fut Pierre qui l'entendit. Il revint **(h)** tou *t* *(adj)* (déterminant / adverbe / pronom) penaud annoncer que **(i)** tou *t* (déterminant / adverbe / pronom) était à l'eau : Simon était à l'urgence, avec un bras cassé. **(j)** Tou *t* (déterminant / adverbe / pronom) les invités quittèrent la fête à regret.

#4

adverbe est devant adjective

they were all ready (represents all the people)

⊙ LE GROUPE PRÉPOSITIONNEL ⊙

Le noyau du groupe prépositionnel est une préposition, qui est un mot invariable. Il existe des prépositions simples (*avec*) et des prépositions complexes (*près de*).

au-dessus du *foyer*
pendant *toute la session*
dans *le mélange*
au fond du *puits*
à *la mer*

Le groupe prépositionnel n'est jamais formé d'un seul mot; la préposition noyau est toujours suivie d'une expansion.

dans *le mélange*

Groupe prépositionnel	***dans*** *(le mélange)*
Groupe nominal	*le **mélange***

g

SF pg. 116
#20

RV pg. 34&35
#1,2,5

21 Dans chacun des cas suivants,

C1 soulignez le noyau du groupe ;

C2 indiquez s'il s'agit d'un groupe prépositionnel ou non ;

C3 si oui, indiquez à quelle catégorie appartient l'expansion de la préposition.

EXEMPLE

Groupe	Le groupe est-il un groupe prépositionnel ?	Si oui, l'expansion de la préposition est...		
		un groupe nominal	un groupe infinitf	un groupe adverbial
par le soleil	_Oui_	☒	☐	☐
a) plein de vie	_____	☐	☐	☐
b) vite	_____	☐	☐	☐
c) pour réussir	_____	☐	☐	☐
d) choquée par ce procédé peu équitable	_____	☐	☐	☐
e) jusqu'à demain	_____	☐	☐	☐
f) celles de mon père	_____	☐	☐	☐
g) totalement réussi	_____	☐	☐	☐
h) l'association canadienne des propriétaires de chihuahuas	_____	☐	☐	☐
i) à un grand ami	_____	☐	☐	☐
j) lors d'une soirée très fraîche	_____	☐	☐	☐
k) pour les sociologues	_____	☐	☐	☐
l) durant l'hiver	_____	☐	☐	☐
m) depuis hier	_____	☐	☐	☐
n) selon cet auteur	_____	☐	☐	☐
o) réellement difficile	_____	☐	☐	☐
p) un grand blond aux yeux pers	_____	☐	☐	☐
q) afin de revenir tôt	_____	☐	☐	☐
r) depuis dix jours	_____	☐	☐	☐
s) huit ans	_____	☐	☐	☐
t) toutes les grandes personnes	_____	☐	☐	☐

22 Lisez le texte suivant.

Élisabeth lit toujours les revues à potins quand elle attend pour payer à l'épicerie. Elle se délecte de la formation de ce nouveau couple d'acteurs, elle soupire devant la séparation houleuse de ces autres idoles et elle étudie soigneusement la composition du nouveau régime alimentaire d'une blonde actrice filiforme. Sa vie lui semble bien simple et bien linéaire quand elle la compare aux destinées extraordinaires de tous ces êtres plus grands que nature. Mais elle se doute bien qu'ils doivent parfois, eux aussi, se sentir moches et déprimés, et avoir envie de manger du macaroni au fromage pour souper.

Dans ce texte, relevez :

a) un groupe nominal formé d'un pronom ;

_____

b) un groupe nominal comprenant deux groupes adjectivaux ;

_____

c) un groupe nominal comprenant un groupe prépositionnel ;

_____

d) un groupe adjectival comprenant un groupe adverbial ;

_____

e) un déterminant référent ;

_____

f) un déterminant composé.

_____

23 Dans le texte suivant, corrigez les mots mal écrits. Il peut s'agir de mots variables qui sont mal accordés ou de mots invariables qui sont accordés à tort.

Charles était parmis les premier invités arrivé. Il cherchait des yeux Marie-Anne,

mais n'arrivait pas à la trouver. Finalement, il la vit, debout entres deux grandes

dame, fixant le plancher d'un air très ennuyé. Elle avait toujours détesté ces récep-

tions mondaine. Il marcha vers elle d'un pas décidés.

LE GROUPE PRÉPOSITIONNEL COMPLÉMENT DU NOM OU DE L'ADJECTIF : SINGULIER OU PLURIEL ?

Les schémas suivants montrent un groupe nominal et un groupe adjectival dont l'expansion est un groupe prépositionnel.

*une **brosse** à dents*

Groupe nominal	*une **brosse** (à dents)*
Groupe prépositionnel	*à (dents)*
Groupe nominal	*dents*

pleins de courage

Groupe adjectival	***pleins** (de courage)*
Groupe prépositionnel	***de** (courage)*
Groupe nominal	***courage***

Dans ces deux cas, seule la logique permet de savoir si le noyau du groupe nominal contenu dans le groupe prépositionnel doit être au singulier ou au pluriel. Parfois, les deux marques sont permises.

pleins de courage (Le courage ne se dénombre pas.)
courage ne s'accorde pas avec *pleins*, qui n'est pas un donneur d'accord.

une brosse à dents (On brosse nécessairement plusieurs dents.)

Le nom qui suit la préposition *sans* est généralement au pluriel si on le met au pluriel après *avec*.
une dictée sans fautes (On dit en général *une dictée avec des fautes.*)

Il est au singulier si on le met au singulier après *avec*.
une vente sans intermédiaire (On dit en général *une vente avec intermédiaire.*)

24 S'il y a lieu, mettez au pluriel les noms soulignés.

EXEMPLE

plein de haine

a) *garnie de cerise*

b) *empli de générosité*

c) *la compote de pomme*

d) *plusieurs parties de hockey*

e) *livides de colère*

f) *des règles de grammaire*

g) *des lettres de congédiement*

h) *la sauce au fromage*

i) *des tonnes de copie*

j) *plein d'enthousiasme*

k) *parsemé d'étoile*

l) *une camisole sans manche*

m) *entouré d'obstacle*

n) *trois coups de poing*

o) *une saveur de fraise*

p) *des états d'âme*

q) *riche en glucide*

r) *leurs cartes d'identité*

s) *exempt d'impureté*

t) *une foule de passant*

⊙ L'ÉNUMÉRATION DE GROUPES PRÉPOSITIONNELS ⊙

Dans un groupe nominal, adjectival ou verbal, il arrive fréquemment que le noyau ait pour expansions plusieurs groupes prépositionnels juxtaposés ou coordonnés. Ces groupes prépositionnels forment une énumération.

*un ouvrage **à** lire, **à** relire et **à** méditer*

Groupe nominal	*un **ouvrage** (à lire), (à relire) et (à méditer)*	
Groupe prépositionnel **à** *(lire)*	Groupe prépositionnel **à** *(relire)*	Groupe prépositionnel **à** *(méditer)*

Dans une énumération de groupes prépositionnels, on doit absolument répéter les prépositions **à**, **de** et **en** au début de chaque groupe prépositionnel. Les autres prépositions peuvent ne pas être répétées.

*a parlé **de** ce projet et **d'**autres choses encore*
*un coffre **en** bois ou **en** métal*
*affolée **par** la noirceur et le froid*
*déçue **de** la vie et **de** l'amour*

Attention ! On ne répète pas la préposition *à* quand elle indique le cumul de rôles chez une même personne :
à son père et ami
à son fiancé et confident

---

25 Dans les phrases suivantes, corrigez les énumérations de groupes prépositionnels incorrectes.

> ### EXEMPLE
>
> *Elle a parlé à son superviseur et son professeur.*
> *Elle a parlé à son superviseur et **à** son professeur.*

a) *Durant le repas, nous avons discuté avec Hélène et Véronique.*

_____

b) *Il écrit en espagnol et français à son correspondant.*

_____

c) *Il a répandu la solution sur le gazon et les fleurs.*

_____

d) *Il a demandé conseil à son père et sa mère.*

_____

e) *J'ai rencontré la petite fille de Guy et Johanne.*

_____

f) *Cette étape importante nécessite de comprendre et évaluer.*

_____

g) *Mon amoureux m'a offert une montre en or et argent.*

_____

h) *Elle avait placé des livres dans sa valise et son sac.*

_____

i) *Il va à Londres et Paris.*

_____

j) *J'aimerais que vous mettiez de l'ordre dans la salle de bain et la chambre.*

_____

◉ LE GROUPE INFINITIF ◉

Le noyau du groupe infinitif est **un verbe à l'infinitif**. Il peut avoir les mêmes expansions que le groupe verbal.

courir *dans les bois*

Groupe infinitif		***courir*** *(dans les bois)*
	Groupe prépositionnel	***dans*** *(les bois)*

26 Dans chacune des phrases suivantes,

C1 soulignez le groupe infinitif ;

C2 mettez la ou les expansions de son noyau entre parenthèses ;

C3 précisez de quelle sorte d'expansion il s'agit.

EXEMPLE

Je travaille fort pour <u>réussir (rapidement) (mon cours)</u>.
groupe adverbial, groupe nominal

a) *Il croit qu'il le fera changer d'avis.*

_____

b) *Je vais réviser ce texte.*

_____

c) *Mourir de faim n'est pas la solution.*

_____

d) *Il doit venir nous chercher.*

_____

e) *Il a vu toute sa vie défiler devant ses yeux.*

_____

◎ LE GROUPE PARTICIPIAL ◎

Le noyau du groupe participial est **un participe présent**. Il possède toujours un sujet, souvent sous-entendu, même si, contrairement au verbe conjugué noyau du groupe verbal, le participe présent ne prend pas les traits grammaticaux de son sujet.

Cette conférence **traitant** *de problèmes actuels a ravi les participants au forum.*
Le sujet de *traitant* est *Cette conférence*, c'est *Cette conférence* qui traite de problèmes actuels ; *traitant* demeure néanmoins invariable, puisque c'est un participe présent.

En marchant, Pierrette a admiré le paysage.
Le sujet de *marchant* est *Pierrette*, c'est *Pierrette* qui marche ; *marchant* demeure néanmoins invariable, puisque c'est un participe présent.

Quand il est sous-entendu, le sujet du participe présent doit toujours être identique au sujet de la phrase dans laquelle le groupe participial s'insère (il s'agit souvent du sujet du verbe principal).

En voyant ces images, Marie s'est mise à rêver.
Le sujet sous-entendu de *voyant* est *Marie*, c'est *Marie* qui voit ces images. La phrase est correcte, puisque *Marie* est aussi le sujet du verbe principal (*s'est mise*).

En ajoutant des indices, on voit que l'auteur a voulu nous aider.
Le sujet sous-entendu de *ajoutant* est *l'auteur*, c'est *l'auteur* qui ajoute des indices. Cependant, le sujet du verbe principal de cette phrase (*voit*) est *on*. La phrase est donc incorrecte. Il faudrait plutôt dire :
En ajoutant des indices, l'auteur a voulu nous aider.

27 Dans les phrases suivantes,

C1 soulignez le noyau du groupe participial ;

C2 entourez le sujet de ce noyau.

EXEMPLE

(*Ce manège*) *tournant dans tous les sens me rend nauséeux.*

a) *Ce raccourci permettant d'éviter l'autoroute me fait gagner bien du temps dans les embouteillages matinaux.*

b) *Une loi soutenant les droits des enfants sera votée sous peu.*

c) *En analysant ce long poème composé à la cour du roi Louis XIV, Murielle a mis en évidence les thèmes de la mort et de l'amour.*

d) *Tu viendras me voir en finissant ton travail.*

e) *En invitant autant de monde à son anniversaire, il a fortement déplu à sa copine.*

28 Dans les phrases suivantes,

C1 entourez le sujet du noyau du groupe participial, s'il est exprimé ;

C2 encadrez le sujet du verbe principal de la phrase ;

C3 s'ils sont différents, reformulez la phrase pour la rendre correcte en modifiant le sujet du verbe principal.

E XEMPLE

En sortant du magasin, le système d'alarme (m')a *fait sursauter.*
Les deux sujets sont-ils identiques ?   ☐ oui   ☒ non
En sortant du magasin, j'ai sursauté à cause du système d'alarme.

a) *En démontrant autant d'assiduité, je crois qu'il a prouvé qu'il était vraiment intéressé.*
Les deux sujets sont-ils identiques ?   ☐ oui   ☐ non

_____

_____

b) *En terminant ce discours, vous me permettrez de vous dire toute mon admiration.*
Les deux sujets sont-ils identiques ?   ☐ oui   ☐ non

_____

_____

c) *En écrivant ce roman, il est évident que George Sand s'est inspirée de sa vie.*
Les deux sujets sont-ils identiques ?   ☐ oui   ☐ non

_____

_____

d) *En fuyant, je constate que tu ne prends pas tes responsabilités.*
Les deux sujets sont-ils identiques ?   ☐ oui   ☐ non

_____

_____

e) *En respirant lentement, Gisèle retrouve le calme qu'elle avait perdu.*
Les deux sujets sont-ils identiques ?   ☐ oui   ☐ non

_____

_____

f) *En arrivant au restaurant, tous nos problèmes ont commencé.*

Les deux sujets sont-ils identiques ? ☐ oui ☐ non

_____

_____

g) *En sortant de la maison, mes clés sont demeurées sur le guéridon de l'entrée.*

Les deux sujets sont-ils identiques ? ☐ oui ☐ non

_____

_____

h) *En finissant la lecture de ce roman, nous découvrons enfin la clé de l'énigme.*

Les deux sujets sont-ils identiques ? ☐ oui ☐ non

_____

_____

i) *En finissant la lecture de ce roman, il est possible de connaître enfin le meurtrier.*

Les deux sujets sont-ils identiques ? ☐ oui ☐ non

_____

_____

j) *En complétant le dossier, n'oublie pas d'indiquer le numéro du client.*

Les deux sujets sont-ils identiques ? ☐ oui ☐ non

_____

_____

Exercices de récapitulation

Encerclez la lettre correspondant à la bonne réponse.

— peut être un pronom

10

1. Dans quelle phrase le groupe souligné est-il un groupe nominal ?

a) *Le résumé de cet article est disponible <u>sur Internet</u>.*

b) *La canne à pêche repose <u>sous l'eau</u>, abandonnée.*

c) *<u>Plusieurs</u> sont venus le secourir.*

d) *J'ai fait tout mon entraînement <u>avec une grande motivation</u>.*

2. Quelle phrase contient un déterminant complexe ?

a) *Une centaine d'individus sont venus à la rencontre.*

b) *Plusieurs d'entre eux étaient heureux du résultat.*

c) *Cette pluie tombera durant la nuit.*

d) *Brigitte, ma petite sœur, est toute bouleversée.*

3. Dans quelle phrase le mot *leur* et le nom qu'il détermine sont-ils correctement écrits ?

   a) *Ils n'en font qu'à leurs têtes.*

   b) *Leurs parents les accompagnent tout le long du trajet.*

   c) *À destination, leur bagage était introuvable.*

   d) *Ils ont mis leurs pyjamas et sont allés au lit.*

4. Quelle est la phrase correctement ponctuée ?

   a) *Cet écrivain, célébré pour ses contes et ses fables est encore lu de nos jours.*

   b) *Il est revenu rapidement complètement frigorifié.*

   c) *Intimidée, la petite chatte est restée tapie au fond du panier.*

   d) *Cette publicité, qui passe aussi à la radio ne fait pas l'unanimité.*

5. Dans quelle phrase le groupe adjectival ne contient-il aucun groupe adverbial ?

   a) *Cette nourriture à base de fibres est vite assimilée par l'organisme.*

   b) *Ces problèmes bien ciblés ont répondu à toutes les attentes du groupe de dilettantes.*

   c) *Maryse a fourni une réponse remarquable de franchise.*

   d) *Sans son passeport, Michel trouvera son voyage très difficile.*

6. Dans quelle phrase le mot *tout* souligné est-il adverbe ?

   a) *Toutes les espèces d'oiseaux du parc sont menacées.*

   b) *Il a pris un tout petit morceau de gâteau.*

   c) *Tout est annulé.*

   d) *Il a répondu à toutes les questions.*

7. Dans quelle phrase le groupe verbal ne contient-il aucune expansion ?

   a) *Mon frère ment chaque fois qu'il se retrouve dans une situation difficile.*

   b) *Il m'a appelée tard dans la nuit.*

   c) *Je suis allée chez lui.*

   d) *Il ne m'a même pas ouvert la porte.*

8. Dans quelle phrase les accords sont-ils corrects ?

   a) *Ce gâteau a un goût aux accents de vanilles.*

   b) *Dans un geste plein de colères, il lui a signifié son congé.*

   c) *Deux boîtes de thons sont nécessaires pour cette recette.*

   d) *Cette allée d'arbres s'étire jusqu'à la fin du domaine.*

9. Quelle est la phrase syntaxiquement correcte ?

   a) *L'enfant de Pierre et Louise est aveugle.*

   b) *Sa propension à mentir et se tromper lui a nui.*

   c) *Ils ont acheté cette superbe armoire en bois et vitrail.*

   d) *Ils ont créé un projet avec une vision et des buts précis.*

10. Dans quelle phrase les accords sont-ils incorrects ?

    a) *Il s'est découragé, car il s'est vu entouré d'obstacles infranchissables.*

    b) *Les états d'âme de mon copain sont très faciles à prévoir.*

    c) *Les enfants sont pleins de vies.*

    d) *La jeune femme au blouson noir est partie, fatiguée.*

4.2 SYNTHÈSE PRATIQUE

⊙ PRINCIPES GÉNÉRAUX D'ACCORD ⊙

En ce qui concerne l'accord, le fonctionnement des mots dépend de la catégorie à laquelle ils appartiennent.

- **Les donneurs** d'accord ne reçoivent leurs traits grammaticaux (le genre, le nombre et la personne) d'aucun autre mot. C'est le contexte ou leur sens qui détermine s'ils sont masculins ou féminins, singuliers ou pluriels, de la 1re, 2e ou 3e personne.
- **Les receveurs** d'accord reçoivent leurs traits grammaticaux des donneurs avec lesquels ils sont en relation.
- Les mots **invariables** ne varient jamais.

DONNEURS D'ACCORD	RECEVEURS D'ACCORD		MOTS INVARIABLES
	receveurs des traits de genre et de nombre	receveurs des traits de personne et de nombre	
nom pronom	déterminant adjectif participe passé	verbe conjugué	préposition adverbe (sauf *tout*, dans certains cas) conjonction verbe à l'infinitif verbe au participe présent

Le cas du participe passé utilisé avec *avoir* sera étudié dans le chapitre 5.

1 Soit la phrase suivante :

Ces filles très informées déclarent que Mathieu et Thomas veulent voir ce nouveau suspense à l'affiche dans cent salles de cinéma.

    C1 Écrivez les mots qui s'accorderont autrement ou qui seront modifiés si l'on effectue les remplacements indiqués.

    C2 Indiquez entre parenthèses la catégorie à laquelle appartient chacun de ces mots.

    C3 Vérifiez que cette catégorie figure bien parmi les receveurs d'accord.

E X E M P L E

Remplacement de ***Ces filles*** par ***Ce garçon***.

informées (adjectif), déclarent (verbe conjugué)

a) Remplacement de *cent* par *une seule*.

_____

_____

_____

b) Remplacement de *suspense* par *comédie*.

_____

_____

_____

2 Dans le texte suivant, encadrez tous les donneurs d'accord.

 Les pronoms relatifs sont aussi le noyau de groupes nominaux. Ne les oubliez pas !

Les trois ⟨sœurs⟩ sont tout le temps ensemble. Elles ne se quittent jamais. Elles possèdent trois bicyclettes absolument identiques que leur a offertes leur mère à Noël. Dès l'arrivée des beaux jours, on les voit sillonner le village en tous sens et à toute vitesse malgré les conseils des voisins les exhortant à ralentir. Certains se sont plaints à leurs parents, sans résultat. Un jour, l'une d'elles aura un accident. Espérons que ce ne sera pas trop grave et que ça les calmera.

 Quand ils sont le noyau d'un groupe prépositionnel, *du* et *des* sont à la fois une préposition et un déterminant. En effet, ils sont la contraction de *de le* et de *de les*. Ce sont donc des receveurs. Il en va de même pour *au* et *aux*.

<u>*du*</u> ⟨*chocolat*⟩   <u>*au*</u> ⟨*caramel*⟩
<u>*des*</u> ⟨*bonbons*⟩   <u>*aux*</u> ⟨*noix*⟩

3 Dans le texte suivant, soulignez tous les receveurs d'accord.

À <u>la</u> rentrée prochaine, Daniel ira étudier à Boston, aux États-Unis. Prévoyant de nature, il essaie de penser à tout. Il s'est déjà renseigné sur toutes les possibilités de logement et s'est aperçu que le moindre appartement coûtait vraiment cher. Pressentant que le budget octroyé par ses parents ne sera pas suffisant, il envisage donc de trouver un emploi à temps partiel même s'il sent bien que cela risque de compliquer sa vie d'étudiant.

 Même appartient souvent à une catégorie variable.
Il est donneur quand il forme un pronom avec un déterminant :
Ce sont les mêmes que les miennes.
Il est receveur quand il appartient à un déterminant complexe :
Les mêmes exercices recommencent.
Cependant, il est adverbe et donc invariable quand il a le sens
de *aussi* ou de *y compris* : *Elles ont même mangé des épinards.*

4 Dans le texte suivant, barrez tous les mots appartenant à une catégorie invariable.

Tous les soirs, Marie se couche ~~invariablement~~ avec la même hantise, se demandant si elle réussira à se lever le lendemain matin. Elle a tout essayé, les réveils avec une sonnerie métallique, le radio-réveil avec le volume à fond. Elle a même disposé des réveils à plusieurs endroits dans la pièce, pensant qu'elle serait obligée de se lever pour aller arrêter la sonnerie et que cela la réveillerait. Mais rien n'y fait. Depuis qu'elle vit seule, elle arrive systématiquement en retard à l'école, toute haletante, ce qui met sérieusement en péril ses études.

5 Dans les phrases suivantes,

  C1 encadrez les donneurs d'accord ;
  C2 soulignez les receveurs d'accord ;
  C3 barrez les mots invariables ;
  C4 reliez par des flèches les donneurs à leurs receveurs.

EXEMPLE

Marion préfère ~~acheter~~ celui ~~de~~ sa sœur.

a) *Je n'aime pas le sucre à la crème.*

b) *Nous ne voulons pas nous rendre aussi loin.*

c) *Pendant ses vacances, Jérémie fera le tour de l'Amérique du Sud.*

d) *Pourriez-vous parler plus fort, s'il vous plaît ?*

e) *Son état d'esprit me paraît vraiment négatif.*

f) *Mon grand-père me donne souvent des conseils de grande valeur.*

g) *Cependant, je ne les suis pas toujours.*

h) *Par exemple, il me conseille parfois de profiter davantage des bons moments de la vie.*

i) *Tous les membres de l'association rejetteront leur proposition et adopteront la nôtre.*

j) *Nous leur en serons reconnaissants.*

6 Dans le texte suivant,

C1 encadrez les donneurs d'accord ;

C2 soulignez les receveurs d'accord ;

C3 reliez par une flèche le donneur d'accord au receveur ;

C4 corrigez les mots mal accordés.

Dans ce [champ] rempli de fleur jaune, près de cet rangée d'arbre, il est impossible de ressentir des état d'âme négatif. Tout cet environnement respire la quiétude et la paix ; ici, on dirait que les oiseaux chantent des chant plus gai, que le ciel scintille d'un éclat plus lumineux, que les feuille de chaques arbres se froisse dans un murmure plein d'allégresse. Ici, j'aime à penser à toi, à tes boucle blonde, à tes yeux si vert et à tes trop rare sourires.

7 Corrigez les erreurs dans le texte suivant.

Cet association de collectionneur de timbre fêtent cet^te année son cent-vingt-troisième anniversaires. Elle regroupe de nombreux retraité venus à la philatélie assez tards. Parmis eux, certains possèdent des centaine de timbres de pays quasis inconnus ou aujourd'hui disparu. Ces pièces de collections valent de forte somme d'argent, mais ces collectionneurs ne voudraient jamais s'en départir : ce sont leur joyaux.

Ne pas confondre le participe présent, noyau d'un groupe participial, et l'adjectif verbal, noyau d'un groupe adjectival. Le premier est invariable, alors que le second est un receveur d'accord.

*La jeune femme, se **fatiguant** trop vite, est retournée à l'hôpital.*

*Cette tâche est trop **fatigante** pour vous.*

8 Corrigez le texte suivant.

Un beau matin, Luc et Cassandra décidèrent tous les deux de quitter leur maison familiale et de s'installer ensembles. Ils étaient tous excités à cette perspective, mais voulait biens faire les choses. Craignants un refus de la part de leur parent, ils se préparèrent sérieusement. Ils élaborèrent donc un projet solide, allants mêmes jusqu'à vérifier le prix des loyers et à prévoir leurs budgets dans les moindres détails. Les deux jeunes gens, en alignant les chiffres sur le papier, furent étonnés des sommes d'argent nécessaire pour vivre totalement autonome. Luc décida alors de se trouver un petit emploi supplémentaire. Une fois embauchée pour quelque heures par semaines dans un dépanneur du quartier de leur choix, il décida que Cassandra et lui étaient fins prêts. Ils rassemblèrent leur deux famille pour leurs annoncer la nouvelle. Avec tout les chiffres en main, ils présentèrent leur projets à tout le monde. Le sérieux de leur démarche leurs permirent de remporter la victoire.

4.3 ATELIER DE RÉDACTION

1 Enrichissez chacune des phrases suivantes en y insérant :
- un groupe nominal, – un groupe adverbial,
- un groupe prépositionnel, – un groupe adjectival.
- un complément de phrase,

a) *Vincent s'amuse.*

_____

_____

b) *Virginie mange.*

_____

_____

c) *Édouard et Geneviève ont gagné.*

_____

_____

d) *Gilbert planifie son voyage.*

_____

_____

e) *Cette fille est heureuse.*

_____

_____

2 Rédigez des phrases en respectant les contraintes formulées ci-dessous. Dans chaque cas,
C1 encadrez les donneurs ;
C2 soulignez les receveurs ;
C3 reliez par des flèches les donneurs aux receveurs qui sont en relation les uns avec les autres ;
C4 vérifiez tous les accords.

a) Rédigez une phrase syntaxique autonome qui contient deux groupes nominaux.

_____

_____

b) Rédigez une phrase syntaxique autonome qui contient deux groupes adjectivaux.

_____

_____

c) Rédigez une phrase syntaxique autonome qui contient deux groupes adverbiaux.

_____

_____

d) Rédigez une phrase syntaxique autonome qui contient deux groupes prépositionnels coordonnés.

_____

_____

e) Rédigez une phrase syntaxique autonome qui contient un groupe infinitif.

_____

_____

f) Rédigez une phrase syntaxique autonome qui contient un déterminant complexe comprenant le mot *tout*.

_____

_____

g) Rédigez une phrase syntaxique autonome qui contient l'adverbe *tout*.

_____

_____

h) Rédigez une phrase syntaxique autonome qui contient un *leur* déterminant et un *leur* pronom.

_____

_____

i) Rédigez une phrase syntaxique autonome qui contient un groupe adjectival dans le groupe verbal.

_____

_____

j) Rédigez une phrase syntaxique autonome qui contient un groupe participial.

_____

_____

3 À partir d'un des sujets en annexe, rédigez un texte de 150 mots.

C1 Votre texte doit contenir au moins :
- un groupe prépositionnel,   – un groupe adverbial,
- un groupe participial,   – un groupe infinitif.

C2 Après avoir rédigé votre texte, recopiez chacun de ces groupes, encadrez les noyaux et identifiez chacune des expansions.

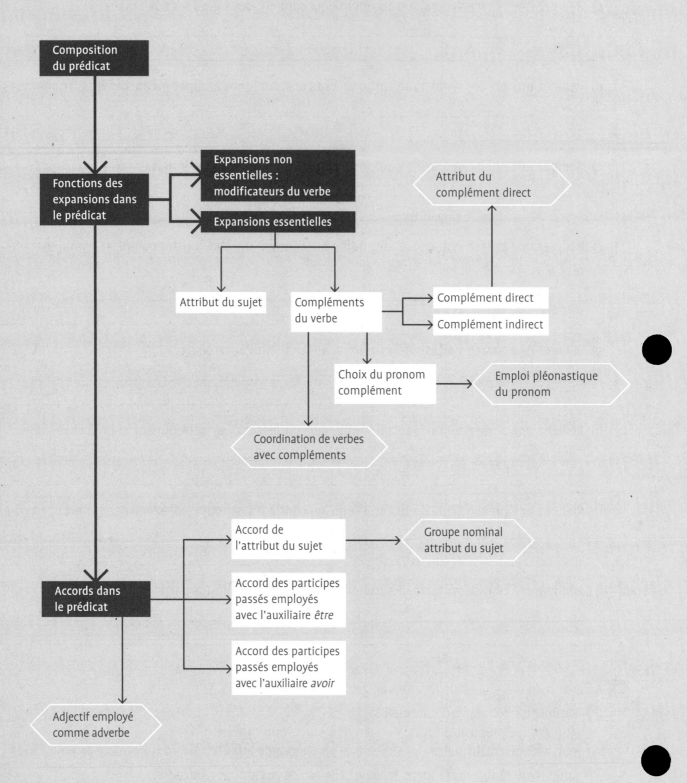

THÉORIE

Le prédicat, nous l'avons vu, est toujours formé d'un groupe verbal, dont le noyau est un verbe conjugué. Ce noyau peut avoir plusieurs expansions qui servent à remplir quatre fonctions :

- modificateur du verbe ;
- complément direct du verbe ;
- complément indirect du verbe ;
- attribut du sujet ou du complément direct du verbe.

Diverses manipulations permettent de déterminer si un groupe remplit l'une de ces fonctions. L'identification des fonctions des groupes est cruciale pour faire certains accords en français, notamment celui des participes passés.

DÉMARCHE

Pour écrire sans fautes, vous devez, entre autres :

- reconnaître les différents groupes qui composent le prédicat ;
- savoir comment ils se construisent ;
- connaître le fonctionnement des mots qui les constituent du point de vue des accords.

5.1 EXPLORATION THÉORIQUE

5.1.1 Le prédicat

⊙ SA COMPOSITION ⊙

Le prédicat est toujours un groupe verbal.

Le noyau du groupe verbal est un verbe conjugué à un mode personnel. Ce verbe est variable et s'accorde en personne et en nombre avec le noyau du groupe sujet de la phrase.

Ce groupe verbal peut comporter des expansions ou non.

*Nicolas **sourit**.*
*Sa performance **a été** parfaite.*
*Il **a gagné** la compétition.*
*Ses amis le **félicitent** chaudement.*

1 Dans chacune des phrases suivantes,

   C1 soulignez le prédicat ;

   C2 mettez entre parenthèses les expansions du verbe.

EXEMPLE

L'écologie est (un sujet passionnant) et (un passe-temps enrichissant).

a) *France est une adepte du recyclage.*

b) *Elle croit que l'on doit prendre ses responsabilités et se soucier de la planète.*

c) *Plusieurs organismes écologiques reçoivent son appui.*

d) *Elle porte souvent des vêtements usagés.*

e) *On lui a appris à rechercher les produits équitables.*

5.1.2 Les fonctions des expansions dans le prédicat

⊙ LE MODIFICATEUR DU VERBE : UNE EXPANSION NON ESSENTIELLE ⊙

Parmi les expansions que comporte le groupe verbal formant le prédicat, certaines sont nécessaires au verbe – le verbe doit être accompagné par ces expansions, sinon il change de sens – et certaines ne sont pas obligatoires dans le régime du verbe.

Ces expansions que l'on ajoute à volonté sont les modificateurs du verbe.
Ces modificateurs servent, comme leur nom l'indique, à modifier le verbe, c'est-à-dire

à moduler son sens, ou à exprimer le degré auquel se réalise l'action exprimée par le verbe. Puisqu'ils ne sont pas absolument nécessaires, les modificateurs du verbe peuvent toujours être effacés sans que la phrase devienne asyntaxique.

*Les patineurs glissent **doucement** sur le lac.* (On peut dire : *Les patineurs glissent sur le lac.*)
*Martin est parti **à toute vitesse**.* (On peut dire : *Martin est parti.*)
*Je **ne** crois **pas** à cette intrigue.* (On peut dire : *Je crois à cette intrigue.*)

Les groupes susceptibles d'être modificateurs sont les suivants :

le groupe prépositionnel ;
*Nous traverserons cette rivière **à la nage**.*

le groupe adverbial.
*Marie viendra **peut-être**.*

g

2 Pour chacune des phrases suivantes,

C1 précisez si oui ou non elle contient un modificateur ;

C2 si c'est le cas, soulignez-le.

EXEMPLE

Hier soir, j'ai <u>trop</u> mangé.

Oui ☒   Non ☐

a) *Il faudra penser à la réservation de l'hôtel.*
Oui ☐   Non ☐

b) *Elle a réussi cet examen avec beaucoup de difficultés.*
Oui ☐   Non ☐

c) *Pendant tout le match, les spectateurs ont hurlé des encouragements.*
Oui ☐   Non ☐

d) *Nous ne nous voyons pas assez souvent.*
Oui ☐   Non ☐

e) *Tu as obtenu ton visa pour partir l'an prochain.*
Oui ☐   Non ☐

f) *Noémie se comporte bizarrement ces jours-ci.*
Oui ☐   Non ☐

g) *Nous attendons tous les vacances avec impatience.*
Oui ☐   Non ☐

h) *Étienne murmure de jolies choses à l'oreille de sa copine.*
Oui ☐   Non ☐

i) *Pourquoi parlent-ils si fort ?*

Oui ☐   Non ☐

j) *Quoi que tu en dises, je ne veux pas me retrouver toute seule avec ces gens-là.*

Oui ☐   Non ☐

3 Dans les phrases suivantes,

C1 soulignez le modificateur du verbe et indiquez de quel groupe il est formé ;

C2 recopiez ensuite la phrase sans modificateur, pour vous assurer qu'elle est encore correcte sur le plan de la syntaxe.

EXEMPLE

Tu as fait ce travail <u>à la dernière minute</u>.

☒ Groupe prépositionnel   ☐ Groupe adverbial

Tu as fait ce travail. _____

a) *Il est toujours resté silencieux.*

☐ Groupe prépositionnel   ☐ Groupe adverbial

_____

b) *Je réponds sur-le-champ à ta lettre.*

☐ Groupe prépositionnel   ☐ Groupe adverbial

_____

c) *Ce statut lui convient tout à fait.*

☐ Groupe prépositionnel   ☐ Groupe adverbial

_____

d) *Ma sœur a malheureusement oublié son anniversaire.*

☐ Groupe prépositionnel   ☐ Groupe adverbial

_____

e) *Ce restaurant n'est vraiment pas à la hauteur de sa réputation.*

☐ Groupe prépositionnel   ☐ Groupe adverbial

_____

◎ LES EXPANSIONS ESSENTIELLES AU VERBE ◎

Au contraire du modificateur, les compléments direct et indirect et l'attribut accompagnent obligatoirement certains verbes.

Chaque verbe commande un type d'expansion ou pas d'expansion du tout.

Dans les phrases suivantes, par exemple, le verbe *parler* ne veut pas dire la même chose selon qu'il est suivi d'un complément ou qu'il est employé seul.
Les hommes parlent. (Ils émettent des sons.) : **verbe employé seul**.
Les hommes parlent anglais. (Ils connaissent une langue étrangère.) : **verbe employé avec un complément direct**.
Les hommes parlent de ce problème. (Ils discutent d'un sujet particulier.) : **verbe employé avec un complément indirect**.

Il en va de même du verbe *être* : selon qu'il est suivi ou non d'une expansion, il ne veut pas dire la même chose.
Cette loi est. (Cette loi existe.) : **verbe employé seul**.
Cette loi est injuste. (Cette loi est caractérisée par son injustice.) : **verbe suivi d'un attribut du sujet**.

4 Dans chacune des phrases suivantes,

C1 soulignez le prédicat ou les prédicats ;

C2 changez le prédicat (ou les prédicats) de façon à modifier le sens du verbe employé ;

C3 écrivez la nouvelle phrase ainsi formée ;

C4 soulignez le nouveau prédicat.

E XEMPLE

Félix rêve.

Félix rêve d'un emploi mieux payé.

a) *Michel écoute.*

_____

b) *Murielle apprend vite.*

_____

c) *Depuis toujours, il boit.*

_____

d) *Je pense, donc je suis.*

_____

e) *Michel et Christian restent.*

_____

⊙ LES ATTRIBUTS DU SUJET ⊙

Certains verbes sont suivis d'une expansion qui a la fonction d'attribut du sujet ; on les appelle **verbes attributifs**. Souvent, ces verbes expriment un état : *être, paraître, sembler, devenir*, etc.

On reconnaît l'expansion attribut du sujet au fait qu'elle qualifie le sujet et qu'elle pourrait être une expansion dans le groupe sujet lui-même. On peut donc toujours la lier au sujet avec le verbe *être*.

Ce travail semble complet. On pourrait dire : *Ce travail est complet.*
Leur aïeul meurt comblé. On pourrait dire : *Leur aïeul est comblé.*

5 Pour chacune des phrases suivantes,

   C1 déterminez si elle contient un attribut du sujet ;

   C2 si oui, soulignez-le ;

   C3 recopiez les attributs en les liant au sujet avec le verbe *être*.

E XEMPLE

Cette enfant paraît <u>nerveuse</u> aujourd'hui.

☒ Phrase avec attribut du sujet   ☐ Phrase sans attribut du sujet

Cette enfant est nerveuse.

a) *Elle demeure traumatisée par cet événement.*

   ☒ Phrase avec attribut du sujet   ☐ Phrase sans attribut du sujet

_____

b) *Florence explique sa réaction intense par la surprise.*

   ☐ Phrase avec attribut du sujet   ☒ Phrase sans attribut du sujet

_____

c) *Ton ami et toi partirez heureux du résultat.*

   ☐ Phrase avec attribut du sujet   ☒ Phrase sans attribut du sujet

_____

d) *Cette loi présente des défis d'application nombreux.*

   ☒ Phrase avec attribut du sujet   ☒ Phrase sans attribut du sujet

_____

e) *Ton enthousiasme paraît bien compréhensible.*

   ☐ Phrase avec attribut du sujet   ☐ Phrase sans attribut du sujet

_____

⊙ LES VERBES ET LEURS COMPLÉMENTS ⊙

Les verbes qui ne sont pas attributifs commandent, selon leurs caractéristiques syntaxiques et, parfois, selon leur sens :

- l'absence de complément ;
- un complément direct ;
- un complément indirect ;
- à la fois un complément direct et un complément indirect.

Les verbes intransitifs ne commandent pas de complément direct ou indirect.
Mon mari ronfle.
Cette machine fonctionne.
Cette loi existe.

Les verbes transitifs commandent un complément direct :
Michelle mange une pomme.
Simon achète un billet.
Virginie écrit un roman.

ou indirect :
Je crois en toi.
Murielle vient de Londres.
Nous allons à Paris.

ou les deux :
Je discute cette décision avec mon supérieur.
Julien promet à sa mère qu'il l'aidera.
Vincent conduira Florence à l'aéroport.

g

6 Dans le tableau suivant, indiquez à quel groupe appartient le verbe en gras dans les phrases.

EXEMPLE

	Verbe attributif	Verbe intransitif	Verbe transitif
*Marie-Ève **a discuté** avec Émile de ce projet.*	☐	☐	☒
a) *Elle **part** demain.*	☐	☐	☐
b) *Ce chapitre **définit** de nouveaux concepts.*	☐	☐	☐
c) *Le soleil m'**éblouit**.*	☐	☐	☐
d) *Son attitude **paraît** un peu suspecte.*	☐	☐	☐
e) *Il **restera** à Marseille durant tout l'hiver.*	☐	☐	☐
f) *Ma tante **triomphe** dans ce récital.*	☐	☐	☐
g) *Son impulsivité lui **cause** des ennuis.*	☐	☐	☐
h) *Elle **reste** marquée par cette rupture.*	☐	☐	☐
i) *Micheline **est partie** furieuse.*	☐	☐	☐
j) *Les étoiles **scintillent** doucement.*	☐	☐	☐
k) *Jacques **vit** une grave période de crise.*	☐	☐	☐

	Verbe attributif	Verbe intransitif	Verbe transitif
l) *La session débute mal.*	☐	☐	☐
m) *La situation périclite depuis lundi.*	☐	☐	☐
n) *Alexis conduit une voiture sport.*	☐	☐	☐
o) *Jessica a subi des traitements douloureux.*	☐	☐	☐
p) *L'examen continue demain.*	☐	☐	☐
q) *Laurie étudie en vue de l'examen.*	☐	☐	☐
r) *Comme toujours, Dominic travaille trop.*	☐	☐	☐
s) *La route finit ici.*	☐	☐	☐
t) *Sa grand-mère le gronde un peu.*	☐	☐	☐

⦿ LE COMPLÉMENT DIRECT DU VERBE ⦿

Pour identifier le complément direct (CD) d'un verbe conjugué, il faut :
1. mettre le verbe conjugué à l'infinitif ;
2. voir s'il est possible de dire « verbe à l'infinitif + *quelque chose* » ou « verbe à l'infinitif + *quelqu'un* » ;
3. si oui, déterminer ce que remplace *quelque chose* ou *quelqu'un* dans la phrase : c'est le complément direct.

Ce soir, je regarderai ce film japonais.
1. À l'infinitif, le verbe conjugué est *regarder*.
2. On peut dire : *regarder quelque chose*.
3. *Quelque chose*, ici, est *ce film japonais*. *Ce film japonais* est donc le complément direct du verbe *regarderai*.

J'ai parlé à Chantal de ce projet.
1. À l'infinitif, le verbe conjugué est *parler*.
2. On ne peut pas dire : *parler quelqu'un* (mais on peut dire *parler quelque chose* – par exemple : *parler anglais*, sauf que le verbe n'a plus le même sens) ; il n'y a donc ici aucun complément direct.

Les araignées me terrorisent.
1. À l'infinitif, le verbe conjugué est *terroriser*.
2. On peut dire : *terroriser quelqu'un*.
3. *Quelqu'un*, ici, est *me* mis pour *moi*. *Me* est donc le complément direct du verbe *terrorisent*.

De plus, le complément direct, s'il ne s'agit pas d'un pronom, peut être pronominalisé. Il ne peut alors être remplacé que par **le**, **la**, **les**, **en** ou **cela**.
Ce soir, je regarderai ce film japonais.
Ce soir, je le regarderai.

g

7 Pour chacune des phrases suivantes, effectuez la démarche afin de trouver le complément direct du verbe principal.

EXEMPLE

Nous avons remarqué ce détail dès le début.

1. Verbe conjugué dans la phrase :
   avons remarqué

2. Ce verbe à l'infinitif :
   remarquer

3. Tournure : verbe à l'infinitif + quelque chose ou quelqu'un :
   remarquer _____ quelque chose
   _____ quelqu'un

4. L'une des deux tournures est-elle pertinente et syntaxiquement correcte ? [x] Oui [ ] Non
   Si oui, passez à l'étape 5. Sinon, le verbe n'a pas de CD.

5. Groupe que remplace *quelque chose* ou *quelqu'un* : *ce détail*
6. Remplacement du groupe par *le, la, les, en* ou *cela* : *Nous l'avons remarqué dès le début.*

a) *Tu dois prévoir toutes les difficultés à venir.*

1. Verbe conjugué dans la phrase :
   _____

2. Ce verbe à l'infinitif :
   _____

3. Tournure : verbe à l'infinitif + quelque chose ou quelqu'un :
   _____ quelque chose
   _____ quelqu'un

4. L'une des deux tournures est-elle pertinente et syntaxiquement correcte ? [ ] Oui [ ] Non
   Si oui, passez à l'étape 5. Sinon, le verbe n'a pas de CD.

5. Groupe que remplace *quelque chose* ou *quelqu'un* : _____
6. Remplacement du groupe par *le, la, les, en* ou *cela* : _____

b) *Vous rendez la monnaie de leur pièce à tous vos détracteurs.*

1. Verbe conjugué dans la phrase :
   _____

2. Ce verbe à l'infinitif :
   _____

3. Tournure : verbe à l'infinitif + quelque chose ou quelqu'un :
   _____ quelque chose
   _____ quelqu'un

4. L'une des deux tournures est-elle pertinente et syntaxiquement correcte ? [ ] Oui [ ] Non
   Si oui, passez à l'étape 5. Sinon, le verbe n'a pas de CD.

5. Groupe que remplace *quelque chose* ou *quelqu'un* : _____
6. Remplacement du groupe par *le, la, les, en* ou *cela* : _____

c) *Stéphane a ouvert le bal.*

1. Verbe conjugué dans la phrase :
   _____

2. Ce verbe à l'infinitif :
   _____

3. Tournure : verbe à l'infinitif + quelque chose ou quelqu'un :

_____ quelque chose

_____ quelqu'un

4. L'une des deux tournures est-elle pertinente et syntaxiquement correcte ? ☐ Oui ☐ Non

Si oui, passez à l'étape 5. Sinon, le verbe n'a pas de CD.

5. Groupe que remplace *quelque chose* ou *quelqu'un* : _____

6. Remplacement du groupe par *le, la, les, en* ou *cela* : _____

_____

d) *J'admire beaucoup sa détermination.*

1. Verbe conjugué dans la phrase :

_____

2. Ce verbe à l'infinitif :

_____

3. Tournure : verbe à l'infinitif + quelque chose ou quelqu'un :

_____ quelque chose

_____ quelqu'un

4. L'une des deux tournures est-elle pertinente et syntaxiquement correcte ? ☐ Oui ☐ Non

Si oui, passez à l'étape 5. Sinon, le verbe n'a pas de CD.

5. Groupe que remplace *quelque chose* ou *quelqu'un* : _____

6. Remplacement du groupe par *le, la, les, en* ou *cela* : _____

_____

e) *Je crois sa version des faits.*

1. Verbe conjugué dans la phrase :

_____

2. Ce verbe à l'infinitif :

_____

3. Tournure : verbe à l'infinitif + quelque chose ou quelqu'un :

_____ quelque chose

_____ quelqu'un

4. L'une des deux tournures est-elle pertinente et syntaxiquement correcte ? ☐ Oui ☐ Non

Si oui, passez à l'étape 5. Sinon, le verbe n'a pas de CD.

5. Groupe que remplace *quelque chose* ou *quelqu'un* : _____

6. Remplacement du groupe par *le, la, les, en* ou *cela* : _____

_____

f) *Marc défend son point de vue avec vigueur.*

1. Verbe conjugué dans la phrase :

_____

2. Ce verbe à l'infinitif :

_____

3. Tournure : verbe à l'infinitif + quelque chose ou quelqu'un :

_____ quelque chose

_____ quelqu'un

4. L'une des deux tournures est-elle pertinente et syntaxiquement correcte ? ☐ Oui ☐ Non

Si oui, passez à l'étape 5. Sinon, le verbe n'a pas de CD.

5. Groupe que remplace *quelque chose* ou *quelqu'un* : _____

6. Remplacement du groupe par *le, la, les, en* ou *cela* : _____

_____

g) *Véronique a raconté à son ami les aventures qu'elle a vécues.*

1. Verbe conjugué dans la phrase :

_____

2. Ce verbe à l'infinitif :

_____

3. Tournure : verbe à l'infinitif + quelque chose ou quelqu'un :

_____ quelque chose

_____ quelqu'un

4. L'une des deux tournures est-elle pertinente et syntaxiquement correcte ? ☐ Oui ☐ Non

Si oui, passez à l'étape 5. Sinon, le verbe n'a pas de CD.

5. Groupe que remplace *quelque chose* ou *quelqu'un* : _____

6. Remplacement du groupe par *le, la, les, en* ou *cela* : _____

_____

h) *Je pense que l'été ne tardera plus à arriver.*

1. Verbe conjugué dans la phrase :

_____

2. Ce verbe à l'infinitif :

_____

3. Tournure : verbe à l'infinitif + quelque chose ou quelqu'un :

_____ quelque chose

_____ quelqu'un

4. L'une des deux tournures est-elle pertinente et syntaxiquement correcte ? ☐ Oui ☐ Non

Si oui, passez à l'étape 5. Sinon, le verbe n'a pas de CD.

5. Groupe que remplace *quelque chose* ou *quelqu'un* : _____

6. Remplacement du groupe par *le, la, les, en* ou *cela* : _____

_____

i) *Cette exposition durera longtemps.*

1. Verbe conjugué dans la phrase :

_____

2. Ce verbe à l'infinitif :

_____

3. Tournure : verbe à l'infinitif + quelque chose ou quelqu'un :

_____ quelque chose

_____ quelqu'un

4. L'une des deux tournures est-elle pertinente et syntaxiquement correcte ? ☐ Oui ☐ Non

Si oui, passez à l'étape 5. Sinon, le verbe n'a pas de CD.

5. Groupe que remplace *quelque chose* ou *quelqu'un* : _____

6. Remplacement du groupe par *le, la, les, en* ou *cela* : _____

_____

j) *Joanie insiste pour que tu la rappelles.*

1. Verbe conjugué dans la phrase :

_____

2. Ce verbe à l'infinitif :

_____

3. Tournure : verbe à l'infinitif + quelque chose ou quelqu'un :

_____ quelque chose

_____ quelqu'un

4. L'une des deux tournures est-elle pertinente et syntaxiquement correcte ? ☐ Oui ☐ Non

Si oui, passez à l'étape 5. Sinon, le verbe n'a pas de CD.

5. Groupe que remplace *quelque chose* ou *quelqu'un* : _____

6. Remplacement du groupe par *le, la, les, en* ou *cela* : _____

_____

8 Dans chacune des phrases suivantes, soulignez les compléments directs du verbe en gras, le cas échéant.

> **E**XEMPLE
>
> *Line <u>m</u>'**a battue** au Scrabble.*

a) *Jessica t'**a appelé** tout à l'heure.*

b) *Marianne m'**a confié** ses secrets.*

c) *Nous **pouvons** vous garantir que ce travail sera terminé.*

d) *Ces douces mélodies les **ont bercés** durant toute leur enfance.*

e) *Nous leur **demanderons** de communiquer avec vous.*

◎ L'ATTRIBUT DU COMPLÉMENT DIRECT DU VERBE ◎

L'expansion qui, dans le prédicat, joue le rôle de complément direct peut être accompagnée d'une expansion qui la qualifie : **l'attribut du complément direct.**

Cette situation rend mes amies folles de jalousie.
verbe conjugué : *rend*
complément direct (*rendre quelqu'un*) : *mes amies*
attribut du complément direct : *folles de jalousie* (On peut dire : *Mes amies sont folles de jalousie.*)

Groupe verbal	***rend** (mes amies) (folles de jalousie)*	
Noyau (verbe conjugué) ***rend***	CD du verbe *mes **amies***	Attribut du CD du verbe ***folles** de jalousie*

Comme l'attribut du sujet, l'attribut du CD se rattache à un groupe (qui, dans ce cas, est complément direct) qu'il qualifie et auquel il peut être lié par le verbe *être*.

g

---

9 Identifiez le complément direct et son attribut dans les phrases suivantes.

> **E**XEMPLE
>
> *Nous croyons cette règle inutile.*
>
> CD : *cette règle* Attribut du CD : *inutile*

a) *Étienne pensait l'examen plus facile.*

CD : l'examen Attribut du CD : facile

b) *La classe a élu Antoine président.*

CD : _____Antoine_____ Attribut du CD : ___président___

c) *Cette situation mettait Geneviève mal à l'aise.*

CD : _____Geneviève_____ Attribut du CD : ___mal à l'aise___

d) *Le public a trouvé le concert formidable.*

CD : _____concert_____ Attribut du CD : ___formidable___

e) *Il l'a jugée insensible.*

CD : _____jugée_____ Attribut du CD : ___insensible___

f) *Ses parents ne l'avaient pas vue aussi heureuse depuis des années.*

CD : _____ Attribut du CD : _____

g) *Je le croyais parti depuis longtemps.*

CD : _____ Attribut du CD : _____

h) *Mes amis te croient moins gentil.*

CD : _____ Attribut du CD : _____

i) *Simone trouve fascinant que Venise ne soit pas constamment inondée.*

CD : _____ Attribut du CD : _____

j) *La trentaine l'a rendu plus séduisant.*

CD : _____ Attribut du CD : _____

◉ LE COMPLÉMENT INDIRECT DU VERBE ◉

Pour identifier le complément indirect (CI) d'un verbe conjugué, il faut :

1. mettre le verbe conjugué à l'infinitif ;
2. voir s'il est possible de dire « verbe à l'infinitif + préposition + *quelque chose* » ou « verbe à l'infinitif + préposition + *quelqu'un* » ou « verbe à l'infinitif + *quelque part* » ou « verbe à l'infinitif + préposition + *quelque part* » ;
3. si oui, trouver ce qui remplace *quelque part*, préposition + *quelque part*, préposition + *quelque chose* ou préposition + *quelqu'un* dans la phrase : cela constitue le complément indirect.

Étienne se prépare à sortir.
1. À l'infinitif, le verbe conjugué est *se préparer*.
2. On peut dire : *se préparer à quelque chose.*
3. *À quelque chose*, ici, est *à sortir*. *À sortir* est donc le complément indirect du verbe *se prépare.*

Maude parle au groupe.
1. À l'infinitif, le verbe conjugué est *parler*.
2. On peut dire : *parler à quelqu'un.*
3. *À quelqu'un*, ici, est *au groupe*. *Au groupe* est donc le complément indirect du verbe *parle.*

Mario va à Paris.

1. À l'infinitif, le verbe conjugué est *aller*.
2. On peut dire : *aller quelque part.*
3. *Quelque part*, ici, est *à Paris*. *À Paris* est donc le complément indirect du verbe *va*.

De plus, le complément indirect, s'il ne s'agit pas d'un pronom, peut être pronominalisé. Les pronoms les plus courants qui remplacent les compléments indirects sont **lui**, **leur**, **en** et **y**. Cependant, parfois, il est impossible de pronominaliser entièrement un complément indirect ; le pronom de remplacement reste accompagné d'une préposition.

Étienne se prépare à sortir.   *Étienne s'y prépare.*
Maude parle au groupe.   *Maude lui parle.*
Mario va à Paris.   *Mario y va.*
Suzie s'ennuie de Léon.   *Suzie s'ennuie de lui.*

10 Pour chacune des phrases suivantes, effectuez la démarche afin de trouver le complément indirect du verbe principal, le cas échéant.

EXEMPLE

L'été prochain, j'irai sûrement dans Charlevoix.

1. Verbe conjugué dans la phrase :   2. Ce verbe à l'infinitif :
   irai   *aller*

3. Tournure : verbe à l'infinitif + préposition + *quelque chose* ou *quelqu'un* ou *quelque part* ou verbe à l'infinitif + *quelque part*

   _____ + _____ + quelque chose
   _____ + _____ + quelqu'un
   _____ + _____ + quelque part
   aller _____ + quelque part

4. L'une de ces tournures est-elle pertinente et syntaxiquement correcte ?

   [x] Oui   [ ] Non

   Si oui, passez à l'étape 5. Sinon, le verbe n'a pas de CI.

5. Groupe que remplace *quelque part* ou préposition + *quelque chose* ou *quelqu'un* ou *quelque part* :
   dans Charlevoix

6. Remplacement dans la phrase par *lui, leur, en, y* ou un groupe prépositionnel :
   L'été prochain, j'y irai sûrement.

a) *Il est parti au Mexique.*

1. Verbe conjugué dans la phrase :   2. Ce verbe à l'infinitif :
   _____   _____

3. Tournure : verbe à l'infinitif + préposition + *quelque chose* ou *quelqu'un* ou *quelque part* ou verbe à l'infinitif + *quelque part*

   _____ + _____ + quelque chose
   _____ + _____ + quelqu'un
   _____ + _____ + quelque part
   _____ + quelque part

4. L'une de ces tournures est-elle pertinente et syntaxiquement correcte ?

   [ ] Oui   [ ] Non

   Si oui, passez à l'étape 5. Sinon, le verbe n'a pas de CI.

5. Groupe que remplace *quelque part* ou préposition + *quelque chose* ou *quelqu'un* ou *quelque part* :

_____

6. Remplacement dans la phrase par *lui*, *leur*, *en*, *y* ou un groupe prépositionnel :

_____

b) *Nous avons convoqué tous les actionnaires à cette réunion spéciale.*

1. Verbe conjugué dans la phrase :   2. Ce verbe à l'infinitif :

_____   _____

3. Tournure : verbe à l'infinitif + préposition + *quelque chose* ou *quelqu'un* ou *quelque part* ou verbe à l'infinitif + *quelque part*

_____ + _____ + quelque chose

_____ + _____ + quelqu'un

_____ + _____ + quelque part

_____ + quelque part

4. L'une de ces tournures est-elle pertinente et syntaxiquement correcte ?

☐ Oui ☐ Non

Si oui, passez à l'étape 5. Sinon, le verbe n'a pas de CI.

5. Groupe que remplace *quelque part* ou préposition + *quelque chose* ou *quelqu'un* ou *quelque part* :

_____

6. Remplacement dans la phrase par *lui*, *leur*, *en*, *y* ou un groupe prépositionnel :

_____

c) *Ces chansons transmettent un message de paix à un auditoire jeune.*

1. Verbe conjugué dans la phrase :   2. Ce verbe à l'infinitif :

_____   _____

3. Tournure : verbe à l'infinitif + préposition + *quelque chose* ou *quelqu'un* ou *quelque part* ou verbe à l'infinitif + *quelque part*

_____ + _____ + quelque chose

_____ + _____ + quelqu'un

_____ + _____ + quelque part

_____ + quelque part

4. L'une de ces tournures est-elle pertinente et syntaxiquement correcte ?

☐ Oui ☐ Non

Si oui, passez à l'étape 5. Sinon, le verbe n'a pas de CI.

5. Groupe que remplace *quelque part* ou préposition + *quelque chose* ou *quelqu'un* ou *quelque part* :

_____

6. Remplacement dans la phrase par *lui*, *leur*, *en*, *y* ou un groupe prépositionnel :

_____

d) *Ce petit garçon demande à sa marraine un train électrique pour Noël.*

1. Verbe conjugué dans la phrase :   2. Ce verbe à l'infinitif :

_____   _____

3. Tournure : verbe à l'infinitif + préposition + *quelque chose* ou *quelqu'un*
ou *quelque part* ou verbe à l'infinitif + *quelque part*

_____ + _____ + quelque chose

_____ + _____ + quelqu'un

_____ + _____ + quelque part

_____ + quelque part

4. L'une de ces tournures est-elle pertinente et syntaxiquement correcte ?

☐ Oui ☐ Non

Si oui, passez à l'étape 5. Sinon, le verbe n'a pas de CI.

5. Groupe que remplace *quelque part* ou préposition + *quelque chose* ou *quelqu'un* ou *quelque part* :

_____

6. Remplacement dans la phrase par *lui*, *leur*, *en*, *y* ou un groupe prépositionnel :

_____

e) *Une maison inquiétante se dresse sur le haut de cette colline brumeuse.*

1. Verbe conjugué dans la phrase :   2. Ce verbe à l'infinitif :

_____   _____

3. Tournure : verbe à l'infinitif + préposition + *quelque chose* ou *quelqu'un*
ou *quelque part* ou verbe à l'infinitif + *quelque part*

_____ + _____ + quelque chose

_____ + _____ + quelqu'un

_____ + _____ + quelque part

_____ + quelque part

4. L'une de ces tournures est-elle pertinente et syntaxiquement correcte ?

☐ Oui ☐ Non

Si oui, passez à l'étape 5. Sinon, le verbe n'a pas de CI.

5. Groupe que remplace *quelque part* ou préposition + *quelque chose* ou *quelqu'un* ou *quelque part* :

_____

6. Remplacement dans la phrase par *lui*, *leur*, *en*, *y* ou un groupe prépositionnel :

_____

f) *Il lui a rappelé leur première rencontre.*

1. Verbe conjugué dans la phrase :   2. Ce verbe à l'infinitif :

_____   _____

3. Tournure : verbe à l'infinitif + préposition + *quelque chose* ou *quelqu'un*
ou *quelque part* ou verbe à l'infinitif + *quelque part*

_____ + _____ + quelque chose

_____ + _____ + quelqu'un

_____ + _____ + quelque part

_____ + quelque part

4. L'une de ces tournures est-elle pertinente et syntaxiquement correcte ?

☐ Oui ☐ Non

Si oui, passez à l'étape 5. Sinon, le verbe n'a pas de CI.

5. Groupe que remplace *quelque part* ou préposition + *quelque chose* ou *quelqu'un* ou *quelque part* :

_____

6. Remplacement dans la phrase par *lui*, *leur*, *en*, *y* ou un groupe prépositionnel :

_____

g) *Jacques argumente avec passion sur la valeur de la musique de jazz.*

1. Verbe conjugué dans la phrase :   2. Ce verbe à l'infinitif :

_____   _____

3. Tournure : verbe à l'infinitif + préposition + *quelque chose* ou *quelqu'un*
   ou *quelque part* ou verbe à l'infinitif + *quelque part*

   _____ + _____ + quelque chose

   _____ + _____ + quelqu'un

   _____ + _____ + quelque part

   _____ + quelque part

4. L'une de ces tournures est-elle pertinente et syntaxiquement correcte ?

   ☐ Oui   ☐ Non

   Si oui, passez à l'étape 5. Sinon, le verbe n'a pas de CI.

5. Groupe que remplace *quelque part* ou préposition + *quelque chose* ou *quelqu'un* ou *quelque part* :

_____

6. Remplacement dans la phrase par *lui*, *leur*, *en*, *y* ou un groupe prépositionnel :

_____

h) *Benoît a offert un joli bracelet à sa copine.*

1. Verbe conjugué dans la phrase :   2. Ce verbe à l'infinitif :

_____   _____

3. Tournure : verbe à l'infinitif + préposition + *quelque chose* ou *quelqu'un*
   ou *quelque part* ou verbe à l'infinitif + *quelque part*

   _____ + _____ + quelque chose

   _____ + _____ + quelqu'un

   _____ + _____ + quelque part

   _____ + quelque part

4. L'une de ces tournures est-elle pertinente et syntaxiquement correcte ?

   ☐ Oui   ☐ Non

   Si oui, passez à l'étape 5. Sinon, le verbe n'a pas de CI.

5. Groupe que remplace *quelque part* ou préposition + *quelque chose* ou *quelqu'un* ou *quelque part* :

_____

6. Remplacement dans la phrase par *lui*, *leur*, *en*, *y* ou un groupe prépositionnel :

_____

i) *Vincent jure à son père qu'on ne le surprendra plus.*

1. Verbe conjugué dans la phrase :   2. Ce verbe à l'infinitif :

_____   _____

3. Tournure : verbe à l'infinitif + préposition + *quelque chose* ou *quelqu'un*
   ou *quelque part* ou verbe à l'infinitif + *quelque part*

   _____ + _____ + quelque chose

   _____ + _____ + quelqu'un

   _____ + _____ + quelque part

   _____ + quelque part

4. L'une de ces tournures est-elle pertinente et syntaxiquement correcte ?

   ☐ Oui   ☐ Non

   Si oui, passez à l'étape 5. Sinon, le verbe n'a pas de CI.

5. Groupe que remplace *quelque part* ou préposition + *quelque chose* ou *quelqu'un* ou *quelque part* :

_____

6. Remplacement dans la phrase par *lui, leur, en, y* ou un groupe prépositionnel :

_____

j) *Elle avait prévenu tous ses amis de s'attendre au pire.*

1. Verbe conjugué dans la phrase :   2. Ce verbe à l'infinitif :

_____   _____

3. Tournure : verbe à l'infinitif + préposition + *quelque chose* ou *quelqu'un*
ou *quelque part* ou verbe à l'infinitif + *quelque part*

_____ + _____ + quelque chose

_____ + _____ + quelqu'un

_____ + _____ + quelque part

_____ + quelque part

4. L'une de ces tournures est-elle pertinente et syntaxiquement correcte ?

☐ Oui   ☐ Non

Si oui, passez à l'étape 5. Sinon, le verbe n'a pas de CI.

5. Groupe que remplace *quelque part* ou préposition + *quelque chose* ou *quelqu'un* ou *quelque part* :

_____

6. Remplacement dans la phrase par *lui, leur, en, y* ou un groupe prépositionnel :

_____

11 Dans les phrases suivantes,

C1 soulignez les compléments indirects des verbes en gras ;

C2 recopiez la phrase, en remplaçant les compléments indirects par le pronom approprié (si ce complément n'est pas déjà un pronom).

E XEMPLE

*Carl **profite** de ses vacances.*

Carl en profite. _____

a) *Nous les **félicitons** de cette initiative.*

_____

b) *Maria **conseille** à ses amies de goûter le poulet au cari.*

_____

c) *Nous vous **prions** de les excuser.*

_____

d) *Maman nous **a demandé** de rentrer tôt.*

_____

e) *Philippe **insère** ces références dans la bibliographie.*

_____

12 Dans chacune des phrases suivantes,

C1 déterminez la fonction des mots en gras;

C2 justifiez votre choix.

E XEMPLE

*Mathieu collabore **à cette revue** fréquemment.*

☐ Complément direct _____

☒ Complément indirect *collaborer à quelque chose* _____

a) *Stéphane déclare **son amour** à une nouvelle fille chaque semaine.*

☒ Complément direct Stéphane déclare quoi? _____

☐ Complément indirect _____

b) *Plusieurs ont décidé **de rester ce soir**.*

☒ Complément direct quoi? _____

☒ Complément indirect ~~plusieurs ont décidé de quoi? de rester ce soir~~

~~"de quoi"?~~

c) *Le soleil **m'**éblouit.*

☒ Complément direct Le soleil m'éblouit _____

☐ Complément indirect _____

d) *La compagnie accorde **à ses clients** un rabais important.*

☐ Complément direct _____

☒ Complément indirect accorde à qui? _____

e) *Ce travail exige **de la patience**.*

☒ Complément direct ce travail exige quoi? de la patience

☐ Complément indirect _____

f) *Personne ne raconte **sa vie** à des inconnus.*

☒ Complément direct personne ne raconte quoi? sa vie

☐ Complément indirect _____

g) *Daniel voyagera **avec Éric** cet été.*

☒ Complément direct Daniel voyagera avec qui? David

☐ Complément indirect _____

h) *Mimi s'est inspirée **de sa vie**.*

☐ Complément direct _____

☒ Complément indirect _____

i) *Cette méthode de calcul **nous** simplifie la vie.*

☐ Complément direct _____

☒ Complément indirect _____

j) *Depuis un mois, Suzanne apprend **à coudre**.*

☒ Complément direct _____

☐ Complément indirect _____

⊙ LE CHOIX DU PRONOM COMPLÉMENT ⊙

Le pronom diffère suivant sa fonction et la forme du groupe de mots qu'il remplace.

Ainsi, les pronoms compléments directs portent les traits de genre et de nombre du noyau du groupe qu'ils remplacent. Par exemple, *la* remplace un groupe dont le noyau est féminin et *le*, un groupe dont le noyau est masculin.
*Vois-tu **la montagne pointue** au loin ? Moi, je **la** vois.*

Plusieurs facteurs déterminent le choix des pronoms compléments indirects.

COMPLÉMENT INDIRECT		
FORME DU COMPLÉMENT	PRONOM PERTINENT	EXEMPLE
Groupe prépositionnel : *à* + GN dont le noyau est au singulier	*lui*	*Je parle **à Luc**.* *Je **lui** parle.*
Groupe prépositionnel : *à* + GN dont le noyau est un nom animé pluriel	*leur* (devant le verbe) ou *à eux/elles* (après le verbe)	*Je demande **à mes parents**.* *Je **leur** demande.* *Je pense **à mes filles**.* *Je pense **à elles**.*
Groupe prépositionnel : *à* + GN dont le noyau est un nom non animé pluriel	*leur*	*Ces vis conviennent **aux écrous**.* *Ces vis **leur** conviennent.*
Groupe prépositionnel : *à* + expansion différente des précédentes	*y*	*Je t'aide **à peindre**.* *Je t'**y** aide.*
Groupe prépositionnel : *de* + GN dont le noyau est un nom animé	*de lui/elle/eux/elles* (après le verbe)	*Je parle **d'Élise**.* *Je parle **d'elle**.*
Groupe prépositionnel : *de* + expansion	*en*	*Je rêve **de partir au soleil**.* *J'**en** rêve.*
Groupe pronominalisable par *quelque part*	*y*	*Je vais **en Italie**.* *J'**y** vais.*

13 Dans les phrases suivantes, soulignez le complément (direct ou indirect) qui a été remplacé par le pronom en gras.

En remplace parfois un complément direct constitué d'un groupe nominal dont le noyau est accompagné d'un déterminant indéfini (*un, une, du, de la*).
Je mange des pommes.
J'en mange.

EXEMPLE

*J'ai dû me rendre <u>à la clinique</u> et je dois **y** retourner demain pour d'autres examens.*

a) *J'ai discuté de ces questions avec mes amies et je **leur** ai expliqué mon point de vue.*

b) *Marc et Hélène ont visité cette maison avec leur agent et ils **l'**ont tout de suite adorée.*

c) *Ghislain a donné rendez-vous à ses copains dans les estrades. Il les **y** rejoindra dans une heure.*

d) *Il a pris cette décision à l'hôpital et il **y** tient encore.*

e) *Il paraît que tu as donné des caramels à Julie, j'**en** veux aussi.*

f) *L'infirmière a déclaré que tout risque de récidive était écarté, mais je ne **le** crois pas.*

g) *Que tu en veuilles encore à Laurent ne **le** dérange pas outre mesure.*

h) *Ma sœur veut convaincre mes parents de faire ce voyage et elle leur **en** parle sans cesse.*

i) *Sébastien veut rompre avec sa copine et il **le** souhaite depuis longtemps.*

j) *La rivière passe par ce pittoresque petit village. Un pont l'**y** traverse.*

14 Dans les phrases suivantes, on a pronominalisé les compléments directs et indirects. Dans chaque cas,

C1 analysez le ou les pronoms de remplacement ;

C2 corrigez cette pronominalisation, le cas échéant.

EXEMPLE

J'ai prévenu Louis de faire attention.
Je lui ai prévenu.
CD : *Louis : nom masculin = le* _____
CI : *de faire attention : GPrép avec de = en* _____
Correction : *Je l'en ai prévenu.* _____

a) *J'ai parlé de ce dossier à ma supérieure.*
   J'y en ai parlé.
CD : _____
CI : _____
Correction : _____

b) *Cette méthode aide les enfants à apprendre à lire.*
   Cette méthode leur aide.
CD : _____
CI : _____
Correction : _____

c) *Je me rappelle cette soirée d'été.*
   Je m'en rappelle.
CD : _____
CI : _____
Correction : _____

d) *J'ai téléphoné à Simon.*
   Je l'ai téléphoné.
CD : _____
CI : _____
Correction : _____

e) *Marc a expliqué à son frère qu'il désapprouvait sa conduite.*
Marc y a expliqué.

CD : _____

CI : _____

Correction : _____

f) *On s'attendait à une telle réaction de ta part.*
On s'en attendait.

CD : _____

CI : _____

Correction : _____

g) *Sylvie a pardonné cette erreur à son comptable.*
Sylvie lui a pardonné.

CD : _____

CI : _____

Correction : _____

h) *Claude rêve à la gloire que lui apportera son premier film.*
Claude en rêve.

CD : _____

CI : _____

Correction : _____

i) *Cette mésaventure cause des soucis à Marie.*
Cette mésaventure lui en cause.

CD : _____

CI : _____

Correction : _____

j) *Cette crème protège la peau des rayons UV.*
Cette crème la lui protège.

CD : _____

CI : _____

Correction : _____

◉ LA COORDINATION DE VERBES AVEC COMPLÉMENTS ◉

Lorsque deux prédicats sont coordonnés, les deux verbes conjugués peuvent avoir
le même groupe pour complément à condition que ces compléments soient tous les
deux CD ou CI.

Ainsi, dans la phrase
Je rencontrerai et parlerai longuement à Frédéric,

Frédéric sert de complément aux deux verbes consécutifs : *rencontrerai* et *parlerai.* Cependant, il est complément direct de *rencontrerai* (*Je rencontrerai Frédéric*) et complément indirect de *parlerai*, construit selon la forme *à quelqu'un* (*Je parlerai longuement à Frédéric*). Cette phrase est donc incorrecte.

Dans un cas comme celui-ci, il faut exprimer le complément dans le premier prédicat, et le pronominaliser dans le second. Ainsi, on ne pourra pas dire :

Je rencontrerai et parlerai longuement à Frédéric.

On dira plutôt :

Je rencontrerai Frédéric	*et*	*je lui parlerai longuement.*
Le groupe nominal complément est exprimé.		Le groupe prépositionnel complément est pronominalisé.

15 Les phrases graphiques suivantes présentent des problèmes de coordination de prédicats. Corrigez-les.

E XEMPLE

Ce groupe musical espérait et n'arrive malheureusement pas à connaître un succès international.

Ce groupe musical espérait connaître un succès international, mais n'y arrive malheureusement pas.

a) *Jean-François proteste contre et dénonce publiquement les actions de ce gouvernement.*

_____
_____

b) *Ma grand-mère se rappelle et discute de comment elle s'est battue pour les droits des femmes.*

_____
_____

c) *Julien préfère et rêve de chocolat noir plutôt qu'au lait.*

_____
_____

d) *Josiane a toujours démontré et s'est vantée d'un talent naturel pour le tennis.*

_____
_____

e) *Martine adore et va souvent aux Îles-de-la-Madeleine.*

_____
_____

f) *Jeanne se souvient avec nostalgie et regrette cette époque de sa vie.*

_____

_____

g) *Claude se moque de et assure ses amis qu'il vaincra contre eux.*

_____

_____

h) *Caroline comprend et pardonne à son amie.*

_____

_____

i) *Geneviève a acheté mais n'a pas profité des billets pour ce spectacle très couru.*

_____

_____

j) *Alex croit et mise sur sa chance légendaire.*

_____

_____

◉ L'EMPLOI PLÉONASTIQUE DES PRONOMS ◉

Dans un même prédicat, un complément ne doit pas être à la fois exprimé et pronominalisé, car il s'agit alors d'une répétition inutile (pléonasme).

CI repris   CI de *doute*
*Je m'*en *doute* de son intention.

Le complément indirect du verbe *doute* est *de son intention*. Il est donc inutile, et fautif, de répéter ce complément par le pronom *en*. Il faut simplement dire :

CI de *doute*
Je me doute de son intention.

En revanche, la phrase graphique suivante est correcte :

CI de *retrouve*   CI de *est dévoilé*
[On retrouve plusieurs indices **dans ce chapitre**], mais [le meurtrier n'**y** est pas dévoilé].

En effet, il s'agit ici de deux phrases syntaxiques différentes qui sont coordonnées.

De la même façon, la phrase suivante est correcte :

expansion dans le CP   CI de *retrouve*
(Depuis l'arrivée de l'été **en Italie**), on **y** retrouve plus de touristes.

Le pronom *y* reprend une expansion dans le complément de phrase (*en Italie*) et non pas une autre expansion dans le prédicat.

En somme, exprimer deux fois le même complément dans le même prédicat est fautif.

Cependant, cette tournure pléonastique peut être voulue : il s'agit alors d'une mise en emphase :

J'en connais, des hommes comme lui.

L'élément mis en emphase est alors détaché par une ou des virgules.

16 Dans les phrases suivantes, corrigez les tournures pléonastiques, s'il y a lieu.

> **E**XEMPLE
>
> *J'en mets du sucre dans cette recette de vinaigrette.*
>
> *Je mets du sucre dans cette recette de vinaigrette.* _____

a) *Dans ce roman, il est possible d'y distinguer deux types différents de personnages.*

_____

_____

b) *J'en parle dans mon exposé de ce sujet épineux.*

_____

_____

c) *À travers ce dialogue, il est possible d'y percevoir toute la terreur du personnage principal.*

_____

_____

d) *J'en déduis de cette carte qu'il n'est plus fâché.*

_____

_____

e) *Rends-toi là-bas, car j'y serai avant toi.*

_____

_____

f) *Je lui ai dit à ton frère ce que tu pensais de cette idée.*

_____

_____

g) *Pour le cinquantième anniversaire de mariage de mes grands-parents, je leur ai payé un souper sompteux.*

_____

_____

h) *J'y ai toujours abondamment parlé à cette plante, et pourtant elle se meurt.*

_____

_____

i) *Cette idée, elle leur en a parlé à tous.*

_____

_____

j) *J'y vais à la campagne la semaine prochaine.*

_____

_____

Exercices de récapitulation

Encerclez la lettre correspondant à la bonne réponse.

10

1. Dans quelle phrase le groupe souligné a-t-il la fonction de modificateur du verbe ?

a) *Olivia discute avec sa sœur.*

b) *Francis a remarqué tout de suite que tu semblais triste.*

c) *Les étoiles scintillent dans le ciel de nuit.*

d) *J'arrive à l'instant pour te voir.*

e) *Ils ont demandé conseil à leur entraîneur.*

2. Dans quelle phrase trouve-t-on un attribut du sujet ?

a) *Sonia est arrivée en colère à la réunion.*

b) *Ses parents vivent en banlieue.*

c) *Véronique l'a trouvé plus calme.*

d) *Je ne crois pas que ce livre existe.*

e) *Une interrogation demeure.*

3. Dans quelle phrase y a-t-il un verbe intransitif ?

a) *Cette lumière m'aveugle.*

b) *L'enfant lui sourit.*

c) *La nouvelle l'a renversé.*

d) *Le joueur a fixé longuement l'échiquier.*

e) *L'eau coule goutte à goutte.*

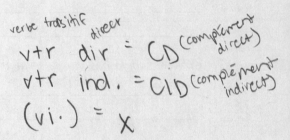

verbe transitif
direct
vtr dir = CD (complément direct)
vtr ind. = CID (complément indirect)
(vi.) = x

4. Dans quelle phrase le groupe souligné a-t-il la fonction de complément direct du verbe ?

a) *Pierre nous a demandé de ne rien dire.* en — quoi ? — COI — dit quoi directement après la verbe pour savoir la réponse

b) *Joseph lui a téléphoné.*

c) *André part dimanche.*

d) *Pascale deviendra une styliste célèbre.*

e) *Tu réfléchis trop.*

5. Dans quelle phrase le pronom souligné a-t-il la fonction de complément direct ?

    a) *Grand-papa <u>nous</u> promet qu'il viendra au réveillon.*

    b) *Vous <u>leur</u> télécopierez ce formulaire.*

    c) *Vous cueillerez des fraises des bois et j'<u>en</u> mangerai avec appétit.*

    d) *Il n'<u>y</u> croira jamais.*

    e) *Tu <u>lui</u> diras que je m'excuse.*

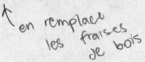

démande quoi après la verbe

↑ en remplace les fraises de bois

6. Dans quelle phrase le groupe souligné a-t-il la fonction de complément indirect du verbe ?

    a) *Tu retournes <u>sur-le-champ</u> à la campagne.*

    b) *Marc tente <u>de finir son devoir à temps</u>.*

    c) *Lou craint <u>de blesser son amie</u>.*

    d) *Maryse confie ses appréhensions <u>à sa mère</u>.*

    e) *Mon petit frère apprend <u>à lire</u>.*

7. Dans quelle phrase le pronom souligné a-t-il la fonction de complément indirect ?

    a) *Il <u>l</u>'a annoncé à ses parents.*

    b) *Marie-France <u>t</u>'a regardé avec reproche.*

    c) *Cet enfant <u>vous</u> a menti.*

    d) *Cette façon de faire <u>les</u> indispose.*

    e) *Claude <u>la</u> reprend sans cesse.*

8. Dans quelle phrase trouve-t-on un attribut du complément direct ?

    a) *Cette recette paraît très élaborée.*

    b) *Ce veston semble encore à la mode.*

    c) *Sa performance a ébloui les juges.*

    d) *Tout le monde a trouvé le conférencier ennuyant.*

    e) *Jérémie croyait que sa vie serait plus intense.*

9. Dans quelle phrase le pronom complément est-il mal choisi ?

    a) *J'y ai veillé.*

    b) *Je leur parlais de cette aventure.*

    c) *Je m'en attendais.*

    d) *Il l'a convaincu.*

    e) *Tu te la rappelles encore.*

10. Quelle est la phrase graphique correcte ?

    a) *J'y retrouve là tous mes amis.*

    b) *Nous avons discuté et réglé ce sujet.*

    c) *Tu leur as avoué à eux ce que tu pensais.*

    d) *Suzanne regarde son porte-bonheur et y sourit.*

    e) *J'ai pensé à et breveté cette invention.*

5.2 SYNTHÈSE PRATIQUE

5.2.1 Accords dans le prédicat

⊙ ADJECTIF EMPLOYÉ COMME ADVERBE ⊙

Il arrive parfois que l'adjectif soit employé comme un adverbe qui modifie le verbe. L'adjectif pris comme adverbe est alors invariable.

Elles ont plusieurs projets, elles voient grand.

1 Dans les phrases suivantes,

C1 soulignez les mots en gras qui sont adjectifs et donc receveurs ;

C2 barrez les mots en gras qui sont adverbes et donc invariables ;

C3 corrigez-les, le cas échéant.

Correction

a) *Les gens disent tous qu'elle chante **faux**.* _____

b) *Cette soupe sent très **bonne**.* _____

c) *Elle ne voit **claire** qu'avec ses lunettes.* _____

d) *Cette soupe est trop **bonne** pour être jetée.* _____

e) *Elle parle **bas** pour ne pas réveiller ses enfants.* _____

⊙ ACCORD DE L'ATTRIBUT DU SUJET ⊙

Puisque l'attribut du sujet se rapporte directement au sujet, il est normal que cet attribut reçoive les traits d'accord (le genre et le nombre) du noyau du groupe sujet.

Cette grande boxed{maison} *paraît* souligné{hantée}.

Ces nouveaux boxed{processus} *comptables semblent* souligné{complexes}.

2 Dans chacune des phrases suivantes,

C1 encadrez le noyau du sujet ;

C2 reliez par une flèche le noyau du groupe sujet à l'attribut ;

C3 corrigez les erreurs d'accord de l'attribut avec le sujet, le cas échéant.

EXEMPLE

boxed{Myriam} *est très étonné de sa performance.*

Correction, le cas échéant :

*Myriam est très étonn**ée** de sa performance.*

a) *Ses états d'âme semblent peu changé dernièrement.*

Correction, le cas échéant :

_____

b) *Elle paraissait, durant les audiences, tendues et déprimées.*

Correction, le cas échéant :

_____

c) *Son attaque semble le plus prometteur de l'équipe.*

Correction, le cas échéant :

_____

d) *L'état de ses blessures demeure critique.*

Correction, le cas échéant :

_____

e) *Ma chatte angora est séductrice.*

Correction, le cas échéant :

_____

◎ GROUPE NOMINAL ATTRIBUT DU SUJET ◎

Parfois, l'attribut du sujet n'est pas un groupe adjectival, mais un groupe nominal. Son noyau n'est donc pas un receveur d'accord. Pourtant, en général, il aura les mêmes traits d'accord que le noyau du groupe sujet puisqu'il existe un rapport d'équivalence entre eux (on utilisera ici une double flèche).

Évidemment, le noyau du groupe nominal attribut donne ses traits d'accord à ses receveurs.

Ces | enfants | *sont de véritables petits* | monstres |.

3 Dans les phrases suivantes,

C1 encadrez le noyau du groupe sujet et le noyau du groupe attribut du sujet ;

C2 faites les flèches d'équivalence entre eux et les flèches qui relient le noyau du groupe attribut à ses receveurs ;

C3 corrigez l'accord, le cas échéant.

EXEMPLE

La petite | Vivianne | *est un dur* | négociateur |.

Correction, le cas échéant :

La petite Vivianne est une dure négociatrice.

a) *Martine est un vétérinaire reconnu.*

Correction, le cas échéant :

_____

b) *Mes trois amis sont amateur de volley-ball.*

Correction, le cas échéant :

_____

c) *Ses deux sœurs deviennent, avec le temps, son meilleur allié.*

Correction, le cas échéant :

_____

d) *Ma tante est le meilleur joueur de bridge de la ville.*

Correction, le cas échéant :

_____

e) *Ces vendeurs sont mon pire ennemi.*

Correction, le cas échéant :

_____

4 Dans les phrases suivantes,

C1 encadrez les donneurs d'accord ;

C2 soulignez les receveurs d'accord ;

C3 reliez par une flèche les donneurs à leurs receveurs d'accord ;

C4 corrigez les mots mal accordés, le cas échéant.

EXEMPLE

Toujours dehors à moitié covert, les deux frères tombent facilement malade.

Mots corrigés : *couverts, malades* _____

a) *Toutes les élèves présentes à la conférence sur la gestion du stress étaient ravis, même Florence.*

Mots corrigés : _____

b) *Les copines de Martine sont prêtes à tout tenter, excédée par son inertie.*

Mots corrigés : _____

c) *Les délégués syndicaux vont partir déçus par l'échec des négociations.*

Mots corrigés : _____

d) *Tout le monde rêvent de mourir riches.*

Mots corrigés : _____

e) *Martine est un violoniste accompli.*

Mots corrigés : _____

◎ ACCORD DES PARTICIPES PASSÉS EMPLOYÉS AVEC L'AUXILIAIRE *ÊTRE* ◎

Les participes passés employés avec l'auxiliaire *être* sont toujours des attributs du sujet. Comme ceux-ci, ils s'accordent avec le noyau du groupe sujet.

Marie est tombée sur le gravier.

Ces invités sont arrivés en retard.

5 Dans les phrases suivantes,

C1 encadrez les donneurs d'accord ;

C2 soulignez les receveurs d'accord ;

C3 barrez les mots invariables ;

C4 reliez par une flèche les donneurs à leurs receveurs d'accord.

EXEMPLE

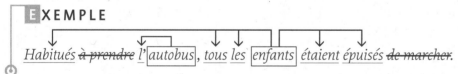

a) *Ne voulant pas perdre le match décisif, les joueurs sont décidés à se battre jusqu'au bout.*

b) *Les ministres des trois provinces représentées, préférant se consulter avant de parler en public, sont rentrés à leur hôtel sans rien dire aux journalistes.*

c) *Les archéologues envoyés sur le site de fouilles en plein cœur du Sahara semblaient certains de trouver des fossiles intéressants.*

d) *Les hommes d'affaires ayant le contrôle de cette compagnie paraissent dépourvus de scrupules.*

e) *Les amateurs de plein air, décidés à sortir leur matériel de randonnée en fin de semaine, sont restés suspendus à la météo toute la semaine.*

⊙ ACCORD DES PARTICIPES PASSÉS EMPLOYÉS AVEC L'AUXILIAIRE *AVOIR* ⊙

Quand le participe passé est employé avec l'auxiliaire *avoir*, son donneur est le noyau du CD si celui-ci est placé avant le verbe. Donc, si le verbe est intransitif, le participe passé est invariable. Quand le CD est placé après le verbe, le participe ne s'accorde pas non plus.

J'ai acheté une [robe] *superbe.* (La flèche discontinue indique que l'accord ne se fait pas.)

Nous avons passé de magnifiques [vacances].

Cependant, le participe passé s'accorde avec le noyau du CD si celui-ci est placé avant.

J'ai acheté une [robe] *superbe et je* [l']*ai portée le soir même.*

Dans cette phrase, le pronom *l'* est donneur d'accord et porte les mêmes traits que le nom noyau du groupe qu'il remplace.

6 Dans chacune des phrases suivantes,

C1 soulignez les participes passés;

C2 encadrez leurs donneurs d'accord (noyau du CD du verbe);

C3 faites les flèches qui les relient (pleines ou discontinues selon le cas);

C4 si l'un des donneurs est un pronom, reliez-le par des doubles flèches au nom noyau du groupe (ou au groupe s'il est impossible d'identifier un nom en particulier) qu'il remplace;

C5 corrigez les fautes.

(annotations manuscrites)
→ devrait avoir les accords
---→ accorder incorrectement / sans accords

E XEMPLE

Il paraît [que tu as *eu* un grave [accident]]; *je ne* [l']*ai jamais su.*

Mots corrigés : _____

a) *Tu m'as écrit de nombreuses* [lettres] *et je ne* [les] *ai jamais reçu.*

Mots corrigés : lettres = fpl

b) *Nous avons beaucoup* [d'amies], *mais nous ne* [les] *avons jamais invités.*

Mots corrigés : amies = fpl → invitées.

c) *Nous avons travaillés toute la soirée, mais nous n'avons fait qu'une* [partie] *de nos devoirs.*

Mots corrigés : travaillé = vi = sans COD

(annotation manuscrite) verbe intransitif = sans complément d'objet direct

d) *Je lui ai téléphonée à plusieurs reprises, mais elle n'a pas répondue.*

répondre = vi = sans CO

Mots corrigés : _téléphoné, répondu_____

e) *Quand vous viendrez nous voir, nous aurons achetés tous les* rideaux, *mais nous ne les aurons pas encore installé.*

Mots corrigés : _____

f) *Tu voulais que je te montre comment faire fonctionner cet engin, je l'ai fait.*

Mots corrigés : _____

g) *Je pense que je lui ai rappelé de mauvais souvenirs.*

Mots corrigés : _____

h) *Il faudrait qu'ils parlent moins fort, la bibliothécaire le leur a déjà demandés.*

Mots corrigés : _____

i) *Ils avaient de belles tasses à vendre, je les leur ai toutes acheté.*

Mots corrigés : _____

j) *Le voyage a été plus long que nous ne l'aurions cru.*

Mots corrigés : _____

7 Dans le texte suivant,

vi = sans CD
vtr = COD
vtr ind = COI

C1 soulignez les participes passés ;
C2 encadrez leurs donneurs d'accord ;
C3 faites les flèches qui les relient ;
C4 corrigez les fautes.

Vincent et Élise étaient fort découragé**s** par le jardin de leur nouvelle maison. En effet, aux premiers jours du printemps, quand la neige a fondue, ils ont constaté à quel point leur pelouse était dévasté. Le sol était parsemées de mauvaises herbes, de grandes plaques de pelouse étaient arraché, le gazon, chétif, était jaunis et disséminés. Ils sont alors entré en contact avec plusieurs compagnies de jardinage, mais toutes étaient trop occupé pour s'attaquer à un tel désastre. Ils ont tentés de planter des semences de nouveau gazon : tous les corbeaux des environs sont alors venu pour dévorer un tel festin. Finalement, une tante qui était accablé par tant de malchance leur a donnée un conseil qu'ils ont suivis : les dernières pousses de gazon furent arraché et, partout, du paillis fut répandus.

5.3 ATELIER DE RÉDACTION

1 À l'aide des verbes suivants, composez des phrases avec un attribut du sujet. Attention de bien accorder l'attribut avec le sujet.

a) *Mourir*

_____

_____

b) *Rentrer*

_____

_____

c) *Naître*

_____

_____

d) *Partir*

_____

_____

e) *Se réveiller*

_____

_____

2 Construisez cinq phrases contenant un participe passé construit avec l'auxiliaire *avoir* et s'accordant avec le CD.

_____

_____

_____

_____

_____

_____

_____

_____

_____

_____

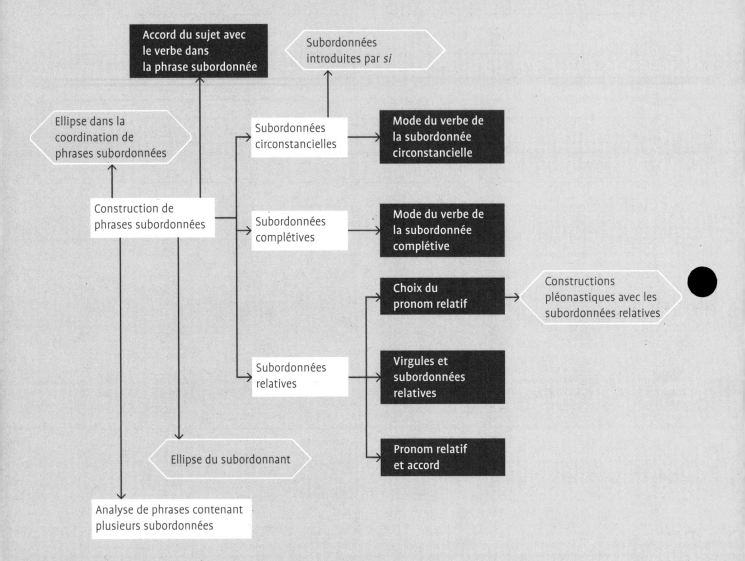

THÉORIE

Jusqu'ici, nous n'avons analysé que des phrases syntaxiques autonomes. Il est temps d'examiner les phrases non autonomes, c'est-à-dire les phrases subordonnées qui sont enchâssées dans les phrases syntaxiques autonomes.

Nous avons déjà établi que chaque verbe conjugué est le centre d'une phrase syntaxique et que chaque subordonnant introduit une phrase subordonnée. Dans une phrase syntaxique autonome, il y a donc autant de phrases subordonnées que de subordonnants. Nous pouvons maintenant affiner l'équation qui nous est déjà familière :

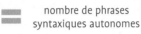

nombre de verbes conjugués — nombre de subordonnants = nombre de phrases syntaxiques autonomes

nombre de phrases syntaxiques — nombre de phrases subordonnées

Les exercices (que) *nous* allons faire sont *extrêmement utiles.*

Nous pouvons analyser la construction de cette phrase de la façon suivante :

nombre de phrases syntaxiques   nombre de phrases subordonnées   nombre de phrases syntaxiques autonomes

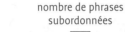   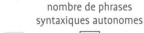

| 2 | — | 1 | = | 1 |

Phrase syntaxique autonome

> Phrase subordonnée
> *Les exercices* (que) *nous* allons faire *sont extrêmement utiles.*

Nous apprendrons à découper les phrases subordonnées enchâssées dans les phrases syntaxiques autonomes et à connaître leurs caractéristiques selon leur construction et leur fonction.

DÉMARCHE

Pour écrire sans fautes, vous devez, entre autres :

- comprendre les principes qui régissent les phrases subordonnées ;
- appliquer ces principes dans des phrases complètes ;
- construire des phrases et des textes qui respectent ces principes.

6.1 EXPLORATION THÉORIQUE

◉ LA CONSTRUCTION DES PHRASES SUBORDONNÉES ◉

À la place de groupes, on trouve parfois des phrases non autonomes, qu'on appelle *phrases subordonnées*.

Voici les principales caractéristiques des phrases subordonnées :

- leur centre est un verbe conjugué ;
- elles commencent par un subordonnant (certains subordonnants sont composés de plusieurs mots : *avant que*, *en attendant que*…) ;
- elles sont **enchâssées** (insérées) dans **la phrase syntaxique autonome** ;
- cet enchâssement entraîne une transformation, **la transformation par enchâssement**. Ainsi, pour rendre les phrases subordonnées conformes au modèle de base, il faut supprimer les marques de transformation.

Phrase syntaxique autonome

	Phrase subordonnée
Tout le monde pense	(que) *Sandrine remportera la médaille.*

g

---

1 Dans les phrases suivantes,

C1 soulignez les verbes conjugués ;

C2 encerclez les subordonnants à l'aide de la liste en annexe ;

C3 à l'aide des cases, vérifiez que chaque phrase graphique contient bien une seule phrase syntaxique autonome ;

C4 délimitez les phrases subordonnées à l'aide de crochets.

E XEMPLE

Les enfants [(qui) sont arrivés hier] sont allemands.

nombre de phrases syntaxiques		nombre de phrases subordonnées		nombre de phrases syntaxiques autonomes
2	−	1	=	1

a) *Lorsque les beaux jours reviendront, nous irons ouvrir le chalet.*

nombre de phrases syntaxiques		nombre de phrases subordonnées		nombre de phrases syntaxiques autonomes
☐	−	☐	=	☐

b) *Classe bien les dossiers pour que tout le monde puisse les retrouver.*

nombre de phrases syntaxiques		nombre de phrases subordonnées		nombre de phrases syntaxiques autonomes
☐	−	☐	=	☐

c) *Nous pensions que la correction de ce texte serait plus facile.*

nombre de phrases syntaxiques		nombre de phrases subordonnées		nombre de phrases syntaxiques autonomes
☐	—	☐	=	☐

d) *Les seules personnes dont je me souviens sont tes frères et sœurs.*

nombre de phrases syntaxiques		nombre de phrases subordonnées		nombre de phrases syntaxiques autonomes
☐	—	☐	=	☐

e) *Mélanie a travaillé d'arrache-pied au point qu'elle est tombée malade.*

nombre de phrases syntaxiques		nombre de phrases subordonnées		nombre de phrases syntaxiques autonomes
☐	—	☐	=	☐

f) *Quand tu seras arrivé chez toi, envoie-moi les papiers dont j'ai besoin pour m'inscrire.*

nombre de phrases syntaxiques		nombre de phrases subordonnées		nombre de phrases syntaxiques autonomes
☐	—	☐	=	☐

g) *Pendant que je finis de préparer le souper, tu devrais couper le pain que j'ai acheté.*

nombre de phrases syntaxiques		nombre de phrases subordonnées		nombre de phrases syntaxiques autonomes
☐	—	☐	=	☐

h) *Les seuls livres que j'ai lus sont ceux que tu m'as offerts.*

nombre de phrases syntaxiques		nombre de phrases subordonnées		nombre de phrases syntaxiques autonomes
☐	—	☐	=	☐

i) *Quand les livres que j'ai commandés arriveront, je les répartirai dans les classes.*

nombre de phrases syntaxiques		nombre de phrases subordonnées		nombre de phrases syntaxiques autonomes
☐	—	☐	=	☐

j) *Depuis que je suis toute petite, je suis obsédée par l'idée que les gens que j'aime puissent mourir subitement.*

nombre de phrases syntaxiques		nombre de phrases subordonnées		nombre de phrases syntaxiques autonomes
☐	—	☐	=	☐

⊙ L'ELLIPSE DANS LA COORDINATION DE PHRASES SUBORDONNÉES ⊙ (g)

Pour des raisons stylistiques, il arrive que certains segments de phrase ne soient pas répétés. L'effacement d'un segment de phrase identique à un autre, dans une phrase coordonnée, constitue une ellipse. **Avant d'analyser une phrase, il faut toujours rétablir les segments effacés.**

(Avant que) tout le monde _soit_ arrivé et se _parle_, je _vais_ faire le tour de l'assemblée.

[(Avant que) tout le monde _soit_ arrivé] et [(**que**) **tout le monde** se _parle_], je _vais_ faire le tour de l'assemblée.

Les conjonctions de subordination peuvent être rappelées par *que* seulement.

2 Les phrases suivantes contiennent des ellipses. Dans chaque cas,

C1 recopiez la phrase en rétablissant les mots manquants ;

C2 soulignez les verbes conjugués ;

C3 encerclez les subordonnants à l'aide de la liste en annexe ;

C4 à l'aide des cases, vérifiez que chaque phrase graphique contient bien une seule phrase syntaxique autonome ;

C5 délimitez les phrases subordonnées à l'aide de crochets.

EXEMPLE

Je suis contente que tu reprennes la compétition et travailles très fort.

Je suis contente [(que) tu _reprennes_ la compétition] et [(que) tu _travailles_ très fort].

nombre de phrases syntaxiques	nombre de phrases subordonnées	nombre de phrases syntaxiques autonomes
3	— 2	= 1

a) *Dès que ma tante aura fini le mélange et fera ses tartes, une bonne odeur se répandra dans la maison.*

_____

_____

nombre de phrases syntaxiques	nombre de phrases subordonnées	nombre de phrases syntaxiques autonomes
☐	— ☐	= ☐

b) *Quand l'automne arrive et nous incite à nous réfugier à l'intérieur de nos foyers, les piscines se vident.*

_____

_____

nombre de phrases syntaxiques	nombre de phrases subordonnées	nombre de phrases syntaxiques autonomes
☐	— ☐	= ☐

c) *Il n'aime pas que les gens mentent et soient hypocrites.*

_____

_____

nombre de phrases syntaxiques		nombre de phrases subordonnées		nombre de phrases syntaxiques autonomes
☐	—	☐	=	☐

d) *Les parcs dans lesquels les vacanciers campent et font des randonnées sont très appréciés du grand public.*

_____

_____

nombre de phrases syntaxiques		nombre de phrases subordonnées		nombre de phrases syntaxiques autonomes
☐	—	☐	=	☐

e) *Les organisateurs rencontreront tous les gens qui ont participé à l'événement et ont des commentaires à exprimer.*

_____

_____

nombre de phrases syntaxiques		nombre de phrases subordonnées		nombre de phrases syntaxiques autonomes
☐	—	☐	=	☐

6.1.1 Les subordonnées circonstancielles

◎ LES CARACTÉRISTIQUES DES SUBORDONNÉES CIRCONSTANCIELLES ◎

Les phrases subordonnées circonstancielles :
- remplissent la fonction de complément de la phrase syntaxique autonome ;
- sont transformées :
  - **par l'ajout d'une conjonction de subordination** ;
  - **parfois, par le changement de mode de leur verbe** qui se mettra au subjonctif.

L'analyse de la phrase subordonnée circonstancielle :

*Je reste chez moi (**parce que** je suis malade).*

parce que *je suis malade* : phrase transformée par l'ajout d'un subordonnant
                     (*parce que*).

je suis malade :   phrase conforme au modèle de base.

*(**Bien que** l'été ne **soit** pas encore fini,) on enfile un chandail à la tombée de la nuit.*

Bien que *l'été ne **soit** pas encore fini* : phrase transformée par l'ajout d'un subordonnant
                     (*Bien que*) et par le changement du mode du verbe.

l'été n'est pas encore fini :   phrase conforme au modèle de base.

g

3 Pour chacune des phrases syntaxiques autonomes suivantes,

C1 écrivez les constituants de base dans le tableau ;

C2 lorsque le complément de phrase est une phrase subordonnée, écrivez-le sous le tableau en enlevant les marques de transformation ;

C3 écrivez ses constituants de base dans le tableau.

EXEMPLE

Mon frère mange souvent des légumes bien qu'il déteste tout ce qui a l'air bon pour la santé.

Pronom de remplacement	Sujet	Prédicat	CP (le cas échéant)
il	*Mon frère*	*mange souvent des légumes*	*bien qu'il déteste tout ce qui a l'air bon pour là santé*

il déteste tout ce qui a l'air bon pour la santé

Pronom de remplacement	Sujet	Prédicat	CP (le cas échéant)
il	*il*	*déteste tout ce qui a l'air bon pour la santé*	

Condition

a) [*Si tu vends ta maison aujourd'hui,*] *tu ne feras pas de profit.*

Pronom de remplacement	Sujet	Prédicat	CP (le cas échéant)
tu	tu	aujourd'hui	tu ne feras pas de profit

Pronom de remplacement	Sujet	Prédicat	CP (le cas échéant)

b) [*Quand bien même tu gagnerais beaucoup d'argent,*] *tu ne pourrais pas acheter l'amour des gens.*

Pronom de remplacement	Sujet	Prédicat	CP (le cas échéant)
	+		

Pronom de remplacement	Sujet	Prédicat	CP (le cas échéant)

c) [En attendant que le repas soit prêt,] téléphone à Martin.

Pronom de remplacement	Sujet	Prédicat	CP (le cas échéant)

Pronom de remplacement	Sujet	Prédicat	CP (le cas échéant)

d) [Comme son mari l'a quittée,] Christiane s'est retrouvée seule avec ses enfants.

Pronom de remplacement	Sujet	Prédicat	CP (le cas échéant)

Pronom de remplacement	Sujet	Prédicat	CP (le cas échéant)

e) [Chaque fois qu'un train passe près de la maison,] les vitres tremblent.

Pronom de remplacement	Sujet	Prédicat	CP (le cas échéant)

p. 215   important chart

Pronom de remplacement	Sujet	Prédicat	CP (le cas échéant)

f) *Je vais lui écrire pour qu'elle sache que je pense à elle.*

Pronom de remplacement	Sujet	Prédicat	CP (le cas échéant)

Pronom de remplacement	Sujet	Prédicat	CP (le cas échéant)

g) *Vu que le livre dont tu m'as parlé n'est pas à la bibliothèque, je l'ai acheté.*

Pronom de remplacement	Sujet	Prédicat	CP (le cas échéant)

Pronom de remplacement	Sujet	Prédicat	CP (le cas échéant)

h) *Maintenant qu'il sait que ses efforts peuvent être fructueux, il se décide à étudier sérieusement.*

Pronom de remplacement	Sujet	Prédicat	CP (le cas échéant)

Pronom de remplacement	Sujet	Prédicat	CP (le cas échéant)

i) *Depuis que ses parents sont morts, André aide sa sœur afin qu'elle ne sombre pas dans la dépression.*

Pronom de remplacement	Sujet	Prédicat	CP (le cas échéant)

Pronom de remplacement	Sujet	Prédicat	CP (le cas échéant)

j) *Quand tu fais ce genre de présentation orale, tu dois nommer la personne chaque fois que tu t'adresses à elle.*

Pronom de remplacement	Sujet	Prédicat	CP (le cas échéant)

Pronom de remplacement	Sujet	Prédicat	CP (le cas échéant)

4 Corrigez le texte suivant. Pour ce faire,

C1 délimitez les phrases syntaxiques autonomes à l'aide de crochets ;

C2 encadrez le sujet de chacune d'elles, soulignez le prédicat et délimitez par des parenthèses le ou les compléments de phrase ;

C3 après avoir enlevé la marque de transformation, écrivez les constituants de base de chaque subordonnée circonstancielle dans les tableaux sous le texte ;

C4 corrigez le verbe, s'il y a lieu.

> Comme dans la phrase syntaxique autonome, il faut penser à accorder le verbe de la subordonnée avec son sujet.

[(Lorsque tout le monde dorment), les rues sont désertes]. Tous les chats de la ruelle s'en donnent alors à cœur joie jusqu'à ce qu'un bruit suspect les propulsent dans la première cachette venue. Ils font preuve d'une prudence constante, à moins qu'un nouveau ne fasse son apparition. La curiosité l'emporte tant que les présentations n'ont pas été faites dans les règles. Puis, sûr de son plein droit, chaque minou reprend son exploration des poubelles aux odeurs prometteuses avant que les lueurs du jour apparaisse. Chacun rentre alors récupérer sur le sofa moelleux de ses maîtres pendant que toute la famille vaquent à ses occupations à l'extérieur.

EXEMPLE

Pronom de remplacement	Sujet	Prédicat	CP (le cas échéant)
il	*tout le monde*	*dorment*	

Verbe correctement accordé : Oui ☐ Non ☒ Verbe corrigé : *dort* _____

a)

Pronom de remplacement	Sujet	Prédicat	CP (le cas échéant)

Verbe correctement accordé : Oui ☐ Non ☐ Verbe corrigé : _____

b)

Pronom de remplacement	Sujet	Prédicat	CP (le cas échéant)

Verbe correctement accordé : Oui ☐ Non ☐ Verbe corrigé : _____

c)

Pronom de remplacement	Sujet	Prédicat	CP (le cas échéant)

Verbe correctement accordé : Oui ☐ Non ☐ Verbe corrigé : _____

d)

Pronom de remplacement	Sujet	Prédicat	CP (le cas échéant)

Verbe correctement accordé : Oui ☐ Non ☐ Verbe corrigé : _____

e)

Pronom de remplacement	Sujet	Prédicat	CP (le cas échéant)

Verbe correctement accordé : Oui ☐ Non ☐ Verbe corrigé : _____

◉ LE MODE DU VERBE DE LA SUBORDONNÉE CIRCONSTANCIELLE ◉

Le verbe de la subordonnée circonstancielle est à l'indicatif ou au subjonctif selon le subordonnant qui introduit la phrase subordonnée.

Bien que commande le subjonctif.

[(Bien que) Mélodie **soit** malade], elle **est** allée à l'anniversaire de Christophe.

Même si commande l'indicatif.

[(Même si) Mélodie **est** malade], elle **est** allée à l'anniversaire de Christophe.

Lorsqu'un subordonnant doit être suivi du subjonctif, le dictionnaire le précise.

Voici quelques subordonnants qui commandent le subjonctif :

à condition que	de façon que	jusqu'à ce que
afin que	de peur que	malgré que
à moins que	de sorte que	pour que
à supposer que	d'ici à ce que	pourvu que
au lieu que	en admettant que	pour peu que
avant que	en attendant que	quoi que
bien que	encore que	quoique

g

5 Dans les phrases suivantes,

C1 délimitez la subordonnée circonstancielle à l'aide de crochets ;

C2 encerclez le subordonnant ;

C3 soulignez la forme verbale appropriée ;

C4 indiquez le mode du verbe.

E XEMPLE

[(Bien que) ma grand-mère (est décédée, soit décédée) depuis longtemps], sa maison est toujours vide.

Indicatif ☐   Subjonctif ☒

a) *(Même) si Grégoire (a, ait) raison, Anne-Laure n'a pas nécessairement tort.*

Indicatif ☒   Subjonctif ☐

b) *(Avant qu')on (comprend, comprenne) la logique de ces événements, ils paraissaient totalement incohérents.*

Indicatif ☐   Subjonctif ☒

c) *(Bien qu')il (fasse, fait) beaucoup de fautes, ses textes sont remarquables.*

Indicatif ☐   Subjonctif ☒

d) *Tu trouveras facilement du travail (pour peu que) tu (réussis, réussisses) tes examens.*

Indicatif ☐   Subjonctif ☒

e) *(Quoi que) tu (as, aies) dit à ton amie, elle a gardé ton secret.*

Indicatif ☐   Subjonctif ☒

f) *(Après que) les invités (soient, sont) partis, nous nous sommes tous couchés.*

Indicatif ☒   Subjonctif ☐

g) *J'irai au cinéma ce soir (sauf) si la tempête de neige (se poursuit, se poursuive).*

Indicatif ☒   Subjonctif ☐

h) *(À moins que) tu (cours, coures), tu arriveras en retard au restaurant.*

Indicatif ☐   Subjonctif ☒

i) *(Étant donné que) Simon (est, soit) majeur, sa peine d'emprisonnement sera plus lourde.*

Indicatif ☒   Subjonctif ☐

j) *(D'ici à ce que) vous (déménagez, (déménagiez)), il vous reste beaucoup d'effets à emballer.*

Indicatif ☐   Subjonctif ☒

⊙ LE TEMPS DU VERBE DE LA SUBORDONNÉE CIRCONSTANCIELLE DE CONDITION INTRODUITE PAR *SI*

Dans la circonstancielle de condition introduite par *si*, le verbe ne se met jamais au conditionnel. Seul le verbe principal peut être au conditionnel.

cond. présent   imparfait
*Tout **deviendrait** facile [(**si**) je **savais** comment régler mes problèmes].*

plus-que-parfait   cond. passé
*[(**Si**) j'**avais eu** ta réponse plus tôt], je **serais venu** te voir.*

g

6 Dans les phrases suivantes,

C1 délimitez la subordonnée circonstancielle de condition à l'aide de crochets ;

C2 soulignez la forme verbale appropriée.

si infront of verb = imparfait

EXEMPLE

*[**Si** on (pourrait, pouvait) aller sur la Lune], je prendrais un billet tout de suite.*

a) *Les gens nous renverraient nos documents [si nous le leur (demandions, demanderions).]*

b) *[Si Jean-Jacques (avait, aurait) joué aujourd'hui,] notre équipe aurait déjà marqué plusieurs buts.*

c) *Avec votre talent, [si vous le (vouliez, voudriez),] vous seriez champion du monde.*

d) *[Si les textes (seraient, étaient) plus faciles,] nous les lirions plus vite.*

e) *Stéphanie aurait sûrement déjà trois enfants, [si elle (avait, aurait) choisi de vivre avec Julien.]*

f) *Nous vous proposerions bien une omelette [s'il nous (restait, resterait) suffisamment d'œufs.]*

g) *[Si ton frère et toi (cessiez, cesseriez) de vous chamailler,] la salle de jeux serait déjà rangée.*

h) *[Si le climat (avait, aurait) été plus doux,] nous serions demeurés quelques jours de plus au camping.*

i) *L'eau était tellement fraîche que Paul et Marie se demandaient [s'ils (allaient, iraient) se baigner.]*

j) *[Si Jean (gagnait, gagnerait) mieux sa vie,] il pourrait voyager plus souvent.*

7 Corrigez le texte suivant. Pour ce faire,

C1 délimitez les phrases syntaxiques autonomes à l'aide de crochets ;

C2 encadrez le sujet de chacune d'elles, soulignez le prédicat et délimitez par des parenthèses le ou les compléments de phrase (le cas échéant) ;

C3 après avoir enlevé la marque de transformation, écrivez les constituants de base de chaque subordonnée circonstancielle dans les tableaux sous le texte ;

C4 corrigez le verbe s'il y a lieu.

[(Bien que Vincent croit que Sophie est la femme de sa vie), il se laisse parfois assaillir par le doute]. Chaque fois qu'une des plus belles filles de la classe se pavanent devant lui, son cœur bat la chamade. Pour peu qu'une jolie brune lui sourit dans la rue, il réévalue ses projets de couple. Si Sophie aurait conscience de cette valse-hésitation, elle procéderait peut-être à la même réévaluation. Quoi qu'il en soient, les mois passent et, en attendant que s'apaisent les états d'âme volages du jeune homme, le couple s'installe dans une routine apparemment sereine.

E XEMPLE

Pronom de remplacement	Sujet	Prédicat	CP (le cas échéant)
il	Vincent	croit que Sophie est la femme de sa vie	

Verbe correctement conjugué et accordé : Oui ☐ Non ☒ Verbe corrigé : _croie_

a)

Pronom de remplacement	Sujet	Prédicat	CP (le cas échéant)

Verbe correctement conjugué et accordé : Oui ☐ Non ☐ Verbe corrigé : _____

b)

Pronom de remplacement	Sujet	Prédicat	CP (le cas échéant)

Verbe correctement conjugué et accordé : Oui ☐ Non ☐ Verbe corrigé : _____

c)

Pronom de remplacement	Sujet	Prédicat	CP (le cas échéant)

Verbe correctement conjugué et accordé : Oui ☐ Non ☐ Verbe corrigé : _____

d)

Pronom de remplacement	Sujet	Prédicat	CP (le cas échéant)

Verbe correctement conjugué et accordé : Oui ☐ Non ☐ Verbe corrigé : _____

e)

Pronom de remplacement	Sujet	Prédicat	CP (le cas échéant)

Verbe correctement conjugué et accordé : Oui ☐ Non ☐ Verbe corrigé : _____

6.1.2 Les subordonnées complétives

◉ LES CARACTÉRISTIQUES DES SUBORDONNÉES COMPLÉTIVES ◉

Les phrases subordonnées complétives :
- remplissent la fonction de sujet, de complément du verbe, de complément d'un adjectif ou de complément du nom de la phrase syntaxique autonome ;
- sont transformées :
  - **par l'ajout d'une conjonction de subordination** ;
  - **parfois, par le changement de mode de leur verbe** qui se mettra au subjonctif.

[(**Que**) tu **veuilles** abandonner tes études] me désole vraiment.

(**Que**) tu **veuilles** abandonner tes études : sujet de la phrase syntaxique autonome.

Tout le monde dit [(**que**) l'été sera pluvieux].

(**que**) l'été sera pluvieux : complément direct du verbe dit.

Marguerite est heureuse [(**que**) son copain **revienne** de l'étranger].

(**que**) son copain **revienne** de l'étranger : complément de l'adjectif heureuse.

Le fait [(**que**) tu **aies** raté ton avion] a désorganisé la journée.

(**que**) tu **aies** raté ton avion : complément du nom fait.

L'analyse de la phrase subordonnée complétive :

[**Que** tu **veuilles** abandonner tes études] me désole vraiment.

Que tu **veuilles** abandonner tes études : phrase transformée par l'ajout d'un subordonnant et par le changement du mode du verbe.

tu veux abandonner tes études : phrase conforme au modèle de base.

Quand la subordonnée complétive est sujet, complément d'un nom ou complément d'un adjectif, elle est introduite par le subordonnant *que*.

Quand elle est complément du verbe, elle peut être introduite par *que* ou par les subordonnants *si, comment, pourquoi, quand, combien...* Les subordonnées complétives introduites par des subordonnants autres que *que* constituent des interrogations indirectes et complètent alors des verbes tels que *savoir, ignorer, chercher, se demander, étudier, examiner, apprendre, découvrir, voir, remarquer, établir, décider, prouver, expliquer, dire, confirmer, montrer, oublier, se souvenir.*

8 Pour chacune des phrases syntaxiques autonomes suivantes,

C1 écrivez les constituants de base dans le tableau ;

C2 délimitez par des crochets la phrase subordonnée complétive ;

C3 dites quelle est sa fonction ;

C4 recopiez-la en enlevant les marques de transformation ;

C5 écrivez ses constituants de base dans le tableau.

EXEMPLE

François et Maxime étaient surpris [que leur inscription n'ait pas été enregistrée].

Pronom de remplacement	Sujet	Prédicat	CP (le cas échéant)
ils	François et Maxime	étaient surpris que leur inscription n'ait pas été enregistrée	

Fonction de la subordonnée complétive :
Sujet ☐   Complément du nom ☐   Complément du verbe ☐   Complément de l'adjectif ☒

leur inscription n'a pas été enregistrée

Pronom de remplacement	Sujet	Prédicat	CP (le cas échéant)
elle	leur inscription	n'a pas été enregistrée	

↓

a) (*Le fait*) *que cette robe soit hors de prix ne m'empêchera pas de l'acheter.*

Pronom de remplacement	Sujet	Prédicat	CP (le cas échéant)
	le fait		

Fonction de la subordonnée complétive :
Sujet ☐   Complément du nom ☑   Complément du verbe ☐   Complément de l'adjectif ☐

Pronom de remplacement	Sujet	Prédicat	CP (le cas échéant)

b) *Marie et Pascale se demandaient si leurs cousins viendraient passer les vacances avec elles.*

Pronom de remplacement	Sujet	Prédicat	CP (le cas échéant)
	Marie et Pascale		

Fonction de la subordonnée complétive :
Sujet ☐   Complément du nom ☐   Complément du verbe ☑   Complément de l'adjectif ☐

Pronom de remplacement	Sujet	Prédicat	CP (le cas échéant)

c) *Que Mario ne se soit pas présenté à son examen est totalement incompréhensible.*

Pronom de remplacement	Sujet	Prédicat	CP (le cas échéant)

Fonction de la subordonnée complétive :
Sujet ☐   Complément du nom ☐   Complément du verbe ☑   Complément de l'adjectif ☐

Pronom de remplacement	Sujet	Prédicat	CP (le cas échéant)

d) *Je me doute bien que, après notre discussion, il était troublé.*

Pronom de remplacement	Sujet	Prédicat	CP (le cas échéant)

Fonction de la subordonnée complétive :
Sujet ☐   Complément du nom ☐   Complément du verbe ☑   Complément de l'adjectif ☐

Pronom de remplacement	Sujet	Prédicat	CP (le cas échéant)

e) *J'ai enfin la preuve que quelqu'un est entré chez moi pendant mon absence.*

Pronom de remplacement	Sujet	Prédicat	CP (le cas échéant)

Fonction de la subordonnée complétive :
Sujet ☐   Complément du nom ☑   Complément du verbe ☐   Complément de l'adjectif ☐

Pronom de remplacement	Sujet	Prédicat	CP (le cas échéant)

f) *Tu ne m'as jamais dit combien tu avais payé cette robe fabuleuse.*

Pronom de remplacement	Sujet	Prédicat	CP (le cas échéant)

Fonction de la subordonnée complétive :
Sujet ☐   Complément du nom ☐   Complément du verbe ☐   Complément de l'adjectif ☐

Pronom de remplacement	Sujet	Prédicat	CP (le cas échéant)

g) *Camille espère ardemment que son premier roman remportera un grand succès.*

Pronom de remplacement	Sujet	Prédicat	CP (le cas échéant)

Fonction de la subordonnée complétive :
Sujet ☐   Complément du nom ☐   Complément du verbe ☐   Complément de l'adjectif ☐

Pronom de remplacement	Sujet	Prédicat	CP (le cas échéant)

h) *Les manifestants étaient outrés que les forces de l'ordre les obligent à quitter les lieux.*

Pronom de remplacement	Sujet	Prédicat	CP (le cas échéant)

Fonction de la subordonnée complétive :
Sujet ☐   Complément du nom ☐   Complément du verbe ☐   Complément de l'adjectif ☐

Pronom de remplacement	Sujet	Prédicat	CP (le cas échéant)

i) *Que Martin s'en soit sorti sans une égratignure relève du miracle.*

Pronom de remplacement	Sujet	Prédicat	CP (le cas échéant)

Fonction de la subordonnée complétive :
Sujet ☑   Complément du nom ☐   Complément du verbe ☐   Complément de l'adjectif ☐

Pronom de remplacement	Sujet	Prédicat	CP (le cas échéant)

j) *La fleuriste était ravie que les passants s'arrêtent devant sa vitrine pour contempler ses arrangements floraux.*

Pronom de remplacement	Sujet	Prédicat	CP (le cas échéant)

Fonction de la subordonnée complétive :
Sujet ☐   Complément du nom ☐   Complément du verbe ☐   Complément de l'adjectif ☑

Pronom de remplacement	Sujet	Prédicat	CP (le cas échéant)

◎ LE MODE DU VERBE DE LA SUBORDONNÉE COMPLÉTIVE ◎

Le verbe de la subordonnée complétive introduite par *que* est parfois au subjonctif.
Pour savoir quand le verbe de la subordonnée complétive doit être au subjonctif,
il faut distinguer plusieurs cas.

- **Lorsque la subordonnée est sujet du verbe de la phrase syntaxique autonome ou complément de l'adjectif, son verbe est le plus souvent au subjonctif.**

  [Qu'il **soit** d'accord avec ta proposition] m'étonnerait beaucoup.

        verbe au subj.

  Qu'il **soit** d'accord avec ta proposition : subordonnée complétive sujet du verbe
                                             de la phrase syntaxique autonome,
                                             étonnerait.

  Ton père est furieux [que tu **aies osé** te présenter devant les invités dans cette tenue].

          verbe au subj.

  que tu **aies osé** te présenter devant les invités dans cette tenue : subordonnée complétive
                                               complément de
                                               l'adjectif *furieux*.

- **Lorsque la subordonnée complète un verbe ou un nom, on considère que l'indicatif présente le fait énoncé comme existant réellement et que le subjonctif présente le fait comme n'existant encore que dans la pensée.**

          verbe à l'ind. = fait considéré comme réel
  On m'a dit [que tu ne **veux** pas rencontrer de médecin].

  que tu ne **veux** pas rencontrer de médecin : subordonnée complétive complément
                                            du verbe de la phrase syntaxique
                                            autonome, *a dit*.

      verbe au subj. = fait considéré comme simplement envisagé
  Le fait [que tu **ailles** voir un médecin] ne te rendra pas plus malade.

  que tu **ailles** voir un médecin : subordonnée complétive complément du nom *fait*.

!   Quelques verbes commandent le subjonctif :
       aimer, attendre, avoir peur, craindre, douter, être surpris,
       éviter, interdire, se plaindre, préférer, s'étonner...

      Quelques verbes commandent l'indicatif :
   affirmer, croire, dire, être sûr, penser, prouver, raconter, savoir, supposer...

9 Dans les phrases suivantes,

C1 délimitez la subordonnée complétive à l'aide de crochets;

C2 dans le tableau, choisissez les éléments qui vous permettent de décider du mode du verbe de la subordonnée;

C3 soulignez la forme verbale appropriée.

E XEMPLE

Monique aimerait [que tous ses amis (soient, sont) présents à sa fête].

La subordonnée est :	☒ compl. du verbe	☐ compl. du nom		☐ sujet ☐ compl. de l'adjectif
Le fait est présenté comme :	☐ réel	☒ non réel		
Mode du verbe :	☐ indicatif	☒ subjonctif		☐ subjonctif

a) *Les étudiants sont touchés que leur professeur les (a, ait) félicités.*

La subordonnée est :	☐ compl. du verbe	☐ compl. du nom		☐ sujet ☐ compl. de l'adjectif
Le fait est présenté comme :	☐ réel	☐ non réel		
Mode du verbe :	☐ indicatif	☐ subjonctif		☐ subjonctif

b) *Je ne sais pas si mon fils (réussit, réussisse) à être heureux dans son nouveau pays.*

La subordonnée est :	☐ compl. du verbe	☐ compl. du nom		☐ sujet ☐ compl. de l'adjectif
Le fait est présenté comme :	☐ réel	☐ non réel		
Mode du verbe :	☐ indicatif	☐ subjonctif		☐ subjonctif

c) *Tous les parents nourrissent la crainte que leurs enfants (font, fassent) des erreurs.*

La subordonnée est :	☐ compl. du verbe	☐ compl. du nom		☐ sujet ☐ compl. de l'adjectif
Le fait est présenté comme :	☐ réel	☐ non réel		
Mode du verbe :	☐ indicatif	☐ subjonctif		☐ subjonctif

d) *Rien ne vaut la certitude que nos amis (sont, soient) heureux.*

La subordonnée est :	☐ compl. du verbe	☐ compl. du nom		☐ sujet ☐ compl. de l'adjectif
Le fait est présenté comme :	☐ réel	☐ non réel		
Mode du verbe :	☐ indicatif	☐ subjonctif		☐ subjonctif

e) *Annick et Marc ont envie que la fête (finit, finisse) de bonne heure.*

La subordonnée est :	☐ compl. du verbe	☐ compl. du nom		☐ sujet ☐ compl. de l'adjectif
Le fait est présenté comme :	☐ réel	☐ non réel		
Mode du verbe :	☐ indicatif	☐ subjonctif		☐ subjonctif

f) *Que tu (fais, fasses) triste mine ne prouve pas que tu éprouves du remords.*

La subordonnée est :	☐ compl. du verbe	☐ compl. du nom		☐ sujet ☐ compl. de l'adjectif
Le fait est présenté comme :	☐ réel	☐ non réel		
Mode du verbe :	☐ indicatif	☐ subjonctif		☐ subjonctif

g) *L'idée que Mathilde (peut, puisse) remporter ce prix prestigieux est des plus excitantes.*

La subordonnée est :	☐ compl. du verbe	☐ compl. du nom		☐ sujet ☐ compl. de l'adjectif
Le fait est présenté comme :	☐ réel	☐ non réel		
Mode du verbe :	☐ indicatif	☐ subjonctif		☐ subjonctif

h) *Que nous (voulons, voulions) démissionner prouve la dégradation du climat de travail.*

La subordonnée est :	☐ compl. du verbe	☐ compl. du nom		☐ sujet ☐ compl. de l'adjectif
Le fait est présenté comme :	☐ réel	☐ non réel		
Mode du verbe :	☐ indicatif	☐ subjonctif		☐ subjonctif

i) *L'animateur était affligé que le débat (a, ait) tourné en règlement de comptes entre les invités.*

La subordonnée est :	☐ compl. du verbe	☐ compl. du nom		☐ sujet ☐ compl. de l'adjectif
Le fait est présenté comme :	☐ réel	☐ non réel		
Mode du verbe :	☐ indicatif	☐ subjonctif		☐ subjonctif

j) *Le chat de la vieille dame était surpris que le plombier (vient, vienne) le chasser de sa cachette.*

La subordonnée est :	☐ compl. du verbe	☐ compl. du nom		☐ sujet ☐ compl. de l'adjectif
Le fait est présenté comme :	☐ réel	☐ non réel		
Mode du verbe :	☐ indicatif	☐ subjonctif		☐ subjonctif

6.1.3 Les subordonnées relatives

⊙ LES CARACTÉRISTIQUES DES SUBORDONNÉES RELATIVES ⊙

Les phrases subordonnées relatives :
- remplissent la fonction de complément du nom ou du pronom ;
- sont transformées :
  - **par le remplacement de l'un de leurs constituants par un subordonnant (pronom relatif) ;**
  - **parfois, par le déplacement de leurs constituants.**

L'analyse de la phrase subordonnée relative :

*Les fleurs [(**que**) tu m'as offertes] attirent tous les regards.*

(**que**) *tu m'as offertes* : phrase dans laquelle le complément direct du verbe a été déplacé et remplacé par un subordonnant.

tu m'as offert [des fleurs] : phrase conforme au modèle de base.

*Toutes les lettres [(**qui**) sont arrivées aujourd'hui] sont pour vous.*

(**qui**) *sont arrivées aujourd'hui* : phrase subordonnée relative dont le sujet a été remplacé par un subordonnant.

toutes les lettres sont arrivées (aujourd'hui) : phrase conforme au modèle de base.

10 Pour chacune des phrases syntaxiques autonomes suivantes,

C1 écrivez les constituants de base dans le tableau ;

C2 délimitez par des crochets la phrase subordonnée relative ;

C3 indiquez le nom ou le pronom qu'elle complète ;

C4 recopiez-la en enlevant les marques de transformation ;

C5 écrivez ses constituants de base dans le tableau.

E X E M P L E

Les quartiers [où les arbres sont plus vieux] ont été construits au début du siècle.

Pronom de remplacement	Sujet	Prédicat	CP (le cas échéant)
ils	*Les quartiers où les arbres sont plus vieux*	*ont été construits au début du siècle*	

Nom ou pronom complété : *quartiers* _____

les arbres sont plus vieux dans ces quartiers _____

Pronom de remplacement	Sujet	Prédicat	CP (le cas échéant)
ils	*les arbres*	*sont plus vieux*	*dans ces quartiers*

a) *Tu devrais appeler le garçon qui t'a donné son numéro de téléphone hier.*

Pronom de remplacement	Sujet	Prédicat	CP (le cas échéant)

Nom ou pronom complété : _____

Pronom de remplacement	Sujet	Prédicat	CP (le cas échéant)

b) *J'ai adopté le coiffeur dont tu m'as vanté les mérites l'autre jour.*

Pronom de remplacement	Sujet	Prédicat	CP (le cas échéant)

Nom ou pronom complété : _____

Pronom de remplacement	Sujet	Prédicat	CP (le cas échéant)

c) *La route par laquelle je suis arrivée serpentait entre les montagnes.*

Pronom de remplacement	Sujet	Prédicat	CP (le cas échéant)

Nom ou pronom complété : _____

Pronom de remplacement	Sujet	Prédicat	CP (le cas échéant)

d) *Le film que j'ai vu hier m'a terrifiée.*

Pronom de remplacement	Sujet	Prédicat	CP (le cas échéant)

Nom ou pronom complété : _____

_____

Pronom de remplacement	Sujet	Prédicat	CP (le cas échéant)

e) *L'un des tableaux dont je suis très fier représente ma maison.*

Pronom de remplacement	Sujet	Prédicat	CP (le cas échéant)

Nom ou pronom complété : _____

_____

Pronom de remplacement	Sujet	Prédicat	CP (le cas échéant)

f) *La table autour de laquelle nous sommes rassemblés est une véritable œuvre d'art.*

Pronom de remplacement	Sujet	Prédicat	CP (le cas échéant)

Nom ou pronom complété : _____

_____

Pronom de remplacement	Sujet	Prédicat	CP (le cas échéant)

g) *Le pays où je suis né a un climat beaucoup moins rude que ma terre d'adoption.*

Pronom de remplacement	Sujet	Prédicat	CP (le cas échéant)

Nom ou pronom complété : _____

_____

Pronom de remplacement	Sujet	Prédicat	CP (le cas échéant)

h) *Le crayon-feutre avec lequel j'ai transcrit son numéro de téléphone a taché ma main.*

Pronom de remplacement	Sujet	Prédicat	CP (le cas échéant)

Nom ou pronom complété : _____

_____

Pronom de remplacement	Sujet	Prédicat	CP (le cas échéant)

i) *Les truffes qui sont exposées dans le comptoir de la chocolaterie semblent vraiment délicieuses.*

Pronom de remplacement	Sujet	Prédicat	CP (le cas échéant)

Nom ou pronom complété : _____

_____

Pronom de remplacement	Sujet	Prédicat	CP (le cas échéant)

j) *Le bouquet de roses qui parfume toute la pièce m'a été offert par ma marraine pour mon anniversaire.*

Pronom de remplacement	Sujet	Prédicat	CP (le cas échéant)

Nom ou pronom complété : _____

Pronom de remplacement	Sujet	Prédicat	CP (le cas échéant)

⊙ LE CHOIX DU PRONOM RELATIF ⊙

Il faut choisir le pronom relatif selon les caractéristiques du groupe de mots à remplacer dans la subordonnée relative, c'est-à-dire selon la fonction, la construction ou le sens de ce groupe de mots.

	FORME		
	Simple		Composée
Sujet	*qui*		*lequel, laquelle,* etc.
Complément direct Attribut	*que*		
Complément prépositionnel	Prép. + *qui* *dont*	Prép. + *quoi* *dont* *où*	Prép. + *lequel,* etc. *auquel* *duquel*
	ANTÉCÉDENT		
	Animé	Inanimé	Animé ou inanimé

On se rappelle *quelque chose,*
mais on se souvient ***de*** *quelque chose.*

11 Dans les phrases syntaxiques suivantes,

C1 délimitez la subordonnée relative à l'aide de crochets;

C2 enlevez les marques de transformation et écrivez les constituants de base
de la subordonnée dans le tableau;

C3 dans le tableau, soulignez le groupe de mots que vous avez mis à la place du pronom;

C4 précisez quelle est sa fonction;

C5 soulignez le bon pronom.

E XEMPLE

Patrice m'a présenté le célèbre professeur [(dont, qu') il a été l'élève autrefois].

Pronom de remplacement	Sujet	Prédicat	CP (le cas échéant)
il	*Il*	*a été l'élève <u>de ce célèbre professeur</u>*	*autrefois*

Sujet ☐ Complément direct du verbe ou attribut ☐ Complément prépositionnel ☒

a) *Le magnifique musée (que, où) Marion a visité en Espagne doit s'appeler le Prado.*

Pronom de remplacement	Sujet	Prédicat	CP (le cas échéant)

Sujet ☐ Complément direct du verbe ou attribut ☐ Complément prépositionnel ☐

b) *Le magnifique musée (que, où) Marion a vu un tableau de Picasso doit s'appeler le Prado.*

Pronom de remplacement	Sujet	Prédicat	CP (le cas échéant)

Sujet ☐ Complément direct du verbe ou attribut ☐ Complément prépositionnel ☐

c) *Le seul lieu de mon enfance (que, dont) je me rappelle avec exactitude est la maison de ma grand-mère.*

Pronom de remplacement	Sujet	Prédicat	CP (le cas échéant)

Sujet ☐   Complément direct du verbe ou attribut ☐   Complément prépositionnel ☐

d) *Le seul lieu de mon enfance (que, dont) je me souviens avec exactitude est la maison de ma grand-mère.*

Pronom de remplacement	Sujet	Prédicat	CP (le cas échéant)

Sujet ☐   Complément direct du verbe ou attribut ☐   Complément prépositionnel ☐

e) *La personne (que, à qui) j'ai téléphoné la semaine dernière a été incapable de me fournir le moindre renseignement.*

Pronom de remplacement	Sujet	Prédicat	CP (le cas échéant)

Sujet ☐   Complément direct du verbe ou attribut ☐   Complément prépositionnel ☐

f) *La personne (que, à qui) j'ai rencontrée la semaine dernière a été incapable de me fournir le moindre renseignement.*

Pronom de remplacement	Sujet	Prédicat	CP (le cas échéant)

Sujet ☐   Complément direct du verbe ou attribut ☐   Complément prépositionnel ☐

g) *Le restaurant (que, dont) je t'ai parlé hier soir a annoncé sa fermeture ce matin.*

Pronom de remplacement	Sujet	Prédicat	CP (le cas échéant)

Sujet ☐   Complément direct du verbe ou attribut ☐   Complément prépositionnel ☐

h) *Vous trouverez dans ce cahier les exercices (que, dont) nous ferons en premier.*

Pronom de remplacement	Sujet	Prédicat	CP (le cas échéant)

Sujet ☐   Complément direct du verbe ou attribut ☐   Complément prépositionnel ☐

i) *Vous trouverez dans ce cahier les exercices (que, dont) nous parlerons ensemble.*

Pronom de remplacement	Sujet	Prédicat	CP (le cas échéant)

Sujet ☐   Complément direct du verbe ou attribut ☐   Complément prépositionnel ☐

j) *La pièce (que, dont) vous m'avez dit beaucoup de bien est encore à l'affiche.*

Pronom de remplacement	Sujet	Prédicat	CP (le cas échéant)

Sujet ☐   Complément direct du verbe ou attribut ☐   Complément prépositionnel ☐

⊙ LES CONSTRUCTIONS PLÉONASTIQUES AVEC ⊙ LES SUBORDONNÉES RELATIVES

Puisque le pronom relatif remplace un groupe de mots dans la phrase subordonnée relative, il faut éviter d'ajouter un autre mot pour exprimer ce groupe de mots.

*Voici le sujet **dont** j'**en** parle dans mon exposé.*

L'analyse de la phrase subordonnée relative :

| dont | *j'en parle dans mon exposé*

*j'**en** parle* | *de ce sujet* | *dans mon exposé*

Les groupes de mots (***en*** et ***de ce sujet***) expriment la même information ; il faut donc en supprimer un.
La phrase correcte serait donc :

*Voici le sujet **dont** je parle dans mon exposé.*

---

12 Pour chacune des phrases suivantes,

C1 délimitez la phrase subordonnée relative par des crochets ;

C2 recopiez-la en remplaçant le pronom relatif par son antécédent ;

C3 soulignez les deux groupes de mots qui expriment la même réalité ;

C4 écrivez la phrase correctement construite.

E XEMPLE

Ces scènes sont la preuve de sa colère [qu'il a pour son père].

il a <u>sa</u> colère pour son père

Ces scènes sont la preuve de la colère qu'il a pour son père.

a) *Son talent qu'il manifeste pour la description est évident dans cette nouvelle.*

_____

_____

b) *Son journal intime exprime son angoisse qu'il ressent.*

_____

_____

c) *Voici la ville où tu y es né.*

_____

d) *Il est tombé sous le tracteur dont il était conducteur de ce véhicule.*

_____

_____

e) *C'est la réaction à laquelle je m'y attendais.*

_____

_____

◎ LES VIRGULES ET LA SUBORDONNÉE RELATIVE ◎

Les subordonnées relatives peuvent être déterminatives ou explicatives.

- **Les subordonnées relatives déterminatives** contiennent des renseignements essentiels à la compréhension de la phrase et ne peuvent donc pas être supprimées. Ces subordonnées **ne doivent pas être détachées par des virgules**.

  *Les élèves de cette classe [**qui ont couru durant la récréation**] sont calmes et attentifs.* Dans cette phrase, la relative précise quels sont les enfants qui sont calmes et attentifs.

- **Les subordonnées relatives explicatives** contiennent des renseignements supplémentaires qui viennent enrichir la phrase, mais qui peuvent être supprimés. Ces subordonnées **doivent être détachées par des virgules**.

  *Les élèves de cette classe, [**qui ont couru durant la récréation**], vivent dans le même quartier.* Dans cette phrase, la relative apporte une précision supplémentaire : tous les élèves de cette classe ont couru durant la récréation.

13 Dans les phrases syntaxiques suivantes,

    C1 encadrez la phrase subordonnée relative à l'aide de crochets ;

    C2 précisez si elle est déterminative ou explicative ;

    C3 détachez-la par des virgules s'il y a lieu.

EXEMPLE

Martin Luther King, [qui a été assassiné en 1968], avait reçu le prix Nobel de la paix.

Explicative ☒   Déterminative ☐

a) *Ma meilleure amie (qui est partie en voyage) me manque beaucoup.*

Explicative ☒   Déterminative ☐

b) *Les gens qui ont peur de tout s'attirent souvent des ennuis.*

Explicative ☐   Déterminative ☒

c) *Les maisons (qui sont situées au bord de l'eau) vont toutes être détruites pour permettre la construction d'une marina.*

Explicative ☐   Déterminative ☒

d) *Mon père dont je ne garde pratiquement aucun souvenir est mort alors que j'avais trois ans.*

Explicative ☒   Déterminative ☐

e) *Marguerite qui n'a pas pu se présenter à son examen a téléphoné pour demander si elle pouvait le passer un autre jour.*

Explicative ☐   Déterminative ☒

⊙ L'ELLIPSE DU SUBORDONNANT ⊙

Quand deux subordonnées sont coordonnées ou juxtaposées, il est possible de ne pas répéter le subordonnant dans la deuxième subordonnée à condition que le subordonnant et le sujet soient les mêmes dans les deux subordonnées. Toutefois, les conjonctions de subordination sont généralement répétées ou rappelées par *que*.

Dans ce village, les maisons [(qui) ont plus de 150 ans] et [sont encore intactes] seront protégées par un règlement municipal.

Dans ce village, les maisons [(qui) ont plus de 150 ans] et [(qui) sont encore intactes] seront protégées par un règlement municipal.

Nous avons abandonné notre projet [(parce que) les gens ne semblaient pas très motivés] et [(qu') ils venaient peu nombreux à nos réunions].

Dans cette dernière phrase, *parce que* doit être répété ou, préférablement, rappelé par *que*.

14 Les phrases suivantes contiennent des ellipses. Pour chacune d'elles,

C1 délimitez les phrases subordonnées à l'aide de crochets ;

C2 dites si la phrase est correctement construite ;

C3 si tel n'est pas le cas, recopiez-la en ajoutant les mots manquants.

EXEMPLE

Je pense [que Joséphine ne veut pas venir] et [elle n'ose pas le dire].

Phrase correcte :   Oui ☐   Non ☒

Je pense que Joséphine ne veut pas venir et qu'elle n'ose pas le dire.

a) *On oublie souvent de parler des gens qui sont heureux et ne font pas d'histoire.*

Phrase correcte :   Oui ☐   Non ☐

b) *Quand Gérard fera le plâtre et Véronique peindra le plafond, dis-leur de bien laisser sécher chaque couche.*

Phrase correcte :   Oui ☐   Non ☐

_____

c) *Je m'interroge sur la maison que les Gélinas ont achetée et revendue immédiatement.*

Phrase correcte :   Oui ☐   Non ☐

_____

d) *C'est l'équipe qui joue depuis le plus longtemps et s'est entraînée le plus fort qui a remporté le tournoi.*

Phrase correcte :   Oui ☐   Non ☐

_____

_____

e) *Buvons un verre en attendant que Michèle ait fini de s'habiller et Mélanie soit maquillée.*

Phrase correcte :   Oui ☐   Non ☐

_____

Exercices de récapitulation

Encerclez la lettre correspondant à la bonne réponse.

1. Dans quelle phrase syntaxique autonome la phrase subordonnée est-elle correctement délimitée ?

10

    a) *Les bottes [que j'ai vues] en ville hier me tentent vraiment beaucoup.*

    b) *Mathieu m'a encore répété [qu'il ne voulait plus jouer au hockey jusqu'à l'année prochaine].*

    c) *[Hier, lorsque tu m'as téléphoné,] j'étais trop occupée pour te parler.*

    d) *Caroline se demandait [si quelqu'un était caché sous son lit chaque soir au moment de se coucher].*

2. Quelle phrase contient une phrase subordonnée circonstancielle ?

    a) *Depuis mon arrivée dans cette grande ville, je me sens tout à fait perdue.*

    b) *Le cours que je voulais absolument suivre ne se donnait pas à l'université où je suis inscrit.*

    c) *Je serai très contente de souper avec lui pourvu qu'il ne cherche pas à me convaincre à tout prix de le suivre dans un autre pays.*

    d) *En entendant toutes ces rumeurs de licenciements, je me suis un peu affolé.*

3. Quelle phrase ne contient pas d'erreur ?

    a) *Après que le château a explosé, cette région est restée inhabitée.*

    b) *Quoiqu'il se croit hors de danger, les médecins sont inquiets pour lui.*

    c) *Il a assisté au baptême de son neveu, bien qu'il avait dit qu'il n'irait pas.*

    d) *Cet employé peut reprendre le travail à condition qu'il voit régulièrement un psychologue.*

4. Quelle phrase ne contient pas d'erreur?

   a) *Si tu m'aiderais, le travail avancerait plus vite.*

   b) *Je t'aurais invité à ma fête si j'aurais de tes nouvelles plus tôt.*

   c) *Si tu voudrais une part de gâteau, il fallait le dire avant l'arrivée des voisins.*

   d) *Jérémie se demandait si elle reviendrait souvent le voir.*

5. Quelle phrase contient une phrase subordonnée complétive sujet?

   a) *Le fait que Marjorie quitte Pierre nous a beaucoup étonnés.*

   b) *Fort étonné que son livre soit déjà en librairie, Daniel avait envie de fêter ça.*

   c) *Que France décide de déménager n'avait rien de catastrophique.*

   d) *Vivre ou mourir, cela lui était bien égal.*

6. Quelle phrase ne contient pas d'erreur?

   a) *Je ne veux pas qu'il court trop vite.*

   b) *Mes amis sont toujours surpris que j'ai autant de facilité à rester longtemps sous l'eau.*

   c) *Les enfants jouant dans la cour d'école regrettent que la récréation est déjà terminée.*

   d) *Tu préfères que tes deux fils et ta fille aillent dans la même colonie de vacances.*

7. Quelle phrase contient une phrase subordonnée relative?

   a) *Les preuves que je t'ai apportées devraient suffire à te convaincre.*

   b) *Les preuves que ton mari te ment ne manquent pas.*

   c) *La crainte que leur amitié soit brisée à jamais tourmentait les deux amies.*

   d) *Dominic se sentait très nerveux à l'idée que, dans moins de deux heures, il serait sur scène.*

8. Quelle phrase ne contient pas d'erreur?

   a) *Je n'ai pas trouvé les exercices que tu m'as parlés.*

   b) *Les événements dont Évelyne se rappelle ne sont pas particulièrement significatifs.*

   c) *Sylvain ne se souvenait pas des noms des personnes qu'il avait téléphonées.*

   d) *Est-ce qu'il s'agit du film dont tu m'as glissé un mot?*

9. Quelle est la phrase correctement ponctuée?

   a) *Gustave Flaubert qui a écrit un des romans les plus célèbres du XIXᵉ siècle est à la recherche de la beauté absolue du langage.*

   b) *Les gens, qui sont dévorés par l'ambition, ne s'encombrent généralement pas de scrupules.*

   c) *Les enfants qui vivent dans des familles recomposées font sûrement preuve d'une grande capacité d'adaptation.*

   d) *Ma petite sœur dont je t'ai déjà parlé va venir me voir la semaine prochaine.*

10. Quelle phrase ne contient pas d'erreur?

   a) *Natacha a rêvé que son copain venait la voir un soir et lui offrait un magnifique bijou.*

   b) *Le vendeur de crème glacée attend avec impatience que le printemps arrive et les gens sortent enfin de chez eux.*

   c) *Veuillez écrire lisiblement pour que je puisse vous corriger et vos camarades puissent vous lire.*

   d) *Quand il fait beau et les oiseaux chantent la vie paraît plus belle.*

6.2 SYNTHÈSE PRATIQUE

⊙ PHRASES CONTENANT PLUSIEURS SUBORDONNÉES ⊙

Une phrase syntaxique autonome peut contenir plusieurs phrases subordonnées.

[Depuis que je te connais], je me demande [comment j'ai pu vivre sans toi].

Depuis que je te connais, je me demande comment j'ai pu vivre sans toi.

Depuis que je te connais : subordonnée circonstancielle, complément de phrase.

comment j'ai pu vivre sans toi : subordonnée complétive, complément direct du verbe *demande*.

Il arrive même assez fréquemment qu'une phrase subordonnée soit enchâssée dans une phrase subordonnée, qui est elle-même enchâssée dans une phrase enchâssante.

Explique-moi [pourquoi tu as lu la lettre [qui était posée sur mon bureau]].

Explique-moi pourquoi tu as lu la lettre qui était posée sur mon bureau.

pourquoi tu as lu la lettre qui était posée sur mon bureau : subordonnée complétive, complément direct du verbe *explique*.

qui était posée sur mon bureau : subordonnée relative, complément du nom *lettre*.

> ! Lorsqu'il y a une ellipse dans la phrase, il ne faut pas oublier de rétablir les mots non répétés.

1 Dans les phrases suivantes,

> **C1** déterminez le nombre de phrases subordonnées à l'aide des cases ;
>
> **C2** délimitez-les à l'aide de crochets ;
>
> **C3** récrivez chacune des phrases subordonnées et précisez sa catégorie et sa fonction.

EXEMPLE

L'agent immobilier [que nous avons rencontré l'autre jour] nous a expliqué [que notre maison était superbe] et [qu'elle pouvait se vendre facilement].

nombre de phrases syntaxiques	nombre de phrases subordonnées	nombre de phrases syntaxiques autonomes
4	— 3	= 1

que nous avons rencontré l'autre jour : subordonnée relative, complément du nom « agent ».

que notre maison était superbe : subordonnée complétive, complément direct du verbe « a expliqué ».

qu'elle pouvait se vendre facilement : subordonnée complétive, complément direct du verbe « a expliqué ».

a) *Je vais te payer l'imprimante que tu veux parce que je ne t'ai pas offert de cadeau d'anniversaire.*

nombre de phrases syntaxiques	nombre de phrases subordonnées	nombre de phrases syntaxiques autonomes
☐	☐	☐

_____

_____

_____

_____

b) *Lorsque je passais près de chez Rosalie, je l'ai entendue qui chantait.*

nombre de phrases syntaxiques	nombre de phrases subordonnées	nombre de phrases syntaxiques autonomes
☐	☐	☐

_____

_____

_____

_____

c) *Dès que les gens dont tu m'as parlé t'écriront, pourras-tu me transmettre leur adresse ?*

nombre de phrases syntaxiques	nombre de phrases subordonnées	nombre de phrases syntaxiques autonomes
☐	☐	☐

_____

_____

_____

_____

d) *Martin a tenté de nous faire croire que sa sœur lui avait dit qu'elle était fâchée contre nous.*

nombre de phrases syntaxiques	nombre de phrases subordonnées	nombre de phrases syntaxiques autonomes
☐	☐	☐

_____

_____

_____

_____

e) *Le gouvernement, qui était dans une position délicate, a tenté de convaincre l'opinion publique qu'aucun de ses membres n'était au courant des faits dont il est question dans la presse.*

nombre de phrases syntaxiques		nombre de phrases subordonnées		nombre de phrases syntaxiques autonomes
☐	▬	☐	＝	☐

_____

_____

_____

_____

_____

_____

f) *Le personnage principal du livre que je viens de terminer est un jeune homme à qui tout réussit dans la vie jusqu'au jour où il décide qu'il veut devenir célèbre.*

nombre de phrases syntaxiques		nombre de phrases subordonnées		nombre de phrases syntaxiques autonomes
☐	▬	☐	＝	☐

_____

_____

_____

_____

_____

_____

g) *François, qui semble subitement pris de la folie du ménage, a descendu du grenier tout ce qui pourrait être vendu bien que sa grand-mère lui ait expliqué qu'elle voulait garder les objets qui lui rappelaient son passé.*

nombre de phrases syntaxiques		nombre de phrases subordonnées		nombre de phrases syntaxiques autonomes
☐	▬	☐	＝	☐

_____

_____

_____

_____

_____

_____

h) *Les organisateurs du spectacle ont annoncé que, puisque la chanteuse, qui a attrapé une mauvaise grippe, ne pouvait pas chanter, les billets seraient remboursés à condition que la demande en soit faite avant une semaine.*

nombre de phrases syntaxiques		nombre de phrases subordonnées		nombre de phrases syntaxiques autonomes
☐	—	☐	=	☐

_____

_____

_____

_____

_____

_____

i) *Puisqu'on soupçonne que ce médicament provoque des malaises chez les personnes qui souffrent d'emphysème, il sera sûrement retiré de la circulation jusqu'à ce qu'une nouvelle étude ait prouvé qu'il est sans danger.*

nombre de phrases syntaxiques		nombre de phrases subordonnées		nombre de phrases syntaxiques autonomes
☐	—	☐	=	☐

_____

_____

_____

_____

_____

_____

j) *Rémi et Fabienne, qui ont adoré leur séjour en Norvège et ont même hésité à revenir pour les fêtes, parlent d'aller s'y installer à moins qu'on ne leur propose une carrière plus intéressante ici.*

nombre de phrases syntaxiques		nombre de phrases subordonnées		nombre de phrases syntaxiques autonomes
☐	—	☐	=	☐

_____

_____

_____

_____

_____

_____

◉ PRONOM RELATIF ET ACCORD ◉

Comme tous les pronoms, le pronom relatif est un donneur d'accord. Il transmet le genre, le nombre et la personne de son antécédent. Il faut donc rechercher l'antécédent du pronom relatif pour pouvoir accorder correctement les mots qui sont en relation avec celui-ci.

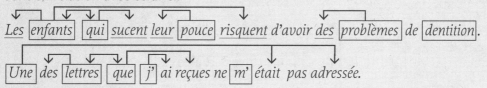

2 Dans les phrases suivantes,

C1 encadrez les donneurs d'accord ;

C2 soulignez les receveurs d'accord ;

C3 à l'aide de flèches, reliez les donneurs et les receveurs ;

C4 à l'aide de doubles flèches, reliez les pronoms relatifs à leurs antécédents ;

C5 corrigez les fautes d'accord.

a) *Les fleurs que j'ai cueilli hier sentent bon.*

b) *Les résultats qui vous ont été envoyés la semaine dernière ne sont pas les bons.*

c) *Les médecins qui vous avez prédit une guérison rapide avaient raison.*

d) *J'espère que tous ces efforts, qui nous aurons épuisés, nous mèneront à la victoire.*

e) *Nous aimerions vous présenter à quelqu'un que vous admirez depuis longtemps.*

f) *Manon et Éric ont visité des ruines qui les ont enchantées.*

g) *Juan a acheté la maison pour laquelle il a eu le coup de foudre.*

h) *Un des récits que Roland nous a fait étaient absolument invraisemblables.*

i) *Moi qui a déjà vécu ce genre d'aventure, je peux te dire que ce n'est pas agréable.*

j) *Les enfants qui vous regardez par la fenêtre auraient bien aimé sortir.*

3 Corrigez les fautes présentes dans le texte suivant :

C'est décidé, je veux devenir aviateur. Chez un ami, j'ai vu plein de vieux films et de feuilletons de guerre dans lesquels des pilotes kamikazes se livraient à toutes sortes d'acrobaties. Les films que je vous parle ne passent plus à la télévision depuis longtemps. Un de ces inconscients qui semble n'avoir peur de rien est devenu mon héros. C'est un officier français d'une des deux guerres mondiales, que je ne me rappelle pas le nom. La possibilité qu'il meurt ou soit blessé m'apparaît comme une hérésie. Il est invincible... Je me vois à sa place, aux commandes de son monomoteur, et je me dis parfois dans mes rêves : « Si je lui écrirais, est-ce qu'il accepterait de m'emmener avec lui dans son avion ? » Mais il doit être trop vieux maintenant. Je ne doute pas que ce genre de rêves est fréquent chez les jeunes garçons, mais moi, je pense vraiment que je vais le réaliser, à moins qu'un imprévu vient me barrer la route. Quand j'en ai parlé à mes parents, mon père m'a répondu : « Ta mère et moi, qui ont mis de l'argent de côté pour tes études, voulons ton bonheur. Alors nous allons réfléchir à tout ça très sérieusement. » Mais ils ne m'en ont jamais reparlé. J'ai peur que mon père croit que ce n'est qu'une lubie et que ma mère ne voit que le danger que ce genre de métier présente. Alors, je crois que je vais leur en reparler bientôt.

6.3 ATELIER DE RÉDACTION

1 Rédigez les phrases syntaxiques décrites ci-dessous. Dans chaque cas,
   C1 respectez la contrainte ;
   C2 soulignez les verbes conjugués ;
   C3 encerclez les subordonnants (pour ce faire, servez-vous de la liste en annexe) ;
   C4 délimitez les phrases subordonnées à l'aide de crochets.

   a) Rédigez une phrase syntaxique autonome contenant deux subordonnées circonstancielles coordonnées.

_____

b) Rédigez une phrase syntaxique autonome contenant deux subordonnées complétives coordonnées.

_____

_____

c) Rédigez une phrase syntaxique autonome contenant deux subordonnées relatives coordonnées.

_____

_____

_____

d) Rédigez une phrase syntaxique autonome contenant une subordonnée complément de l'adjectif.

_____

_____

e) Rédigez une phrase syntaxique autonome contenant trois subordonnées de catégorie différente.

_____

_____

_____

2 À partir d'un sujet de rédaction en annexe, rédigez un texte de 150 mots en respectant les consignes suivantes.

C1 Le texte doit comprendre entre 8 et 10 phrases syntaxiques autonomes. Chaque phrase syntaxique autonome doit comprendre au moins une phrase subordonnée.

C2 Délimitez les phrases subordonnées à l'aide de crochets, puis indiquez leur catégorie et leur fonction.

C3 Encadrez les donneurs d'accord, soulignez les receveurs et faites les flèches qui les relient. Ensuite, vérifiez tous les accords.

N'oubliez pas de corriger les fautes !

VERBES RÉGULIERS

La conjugaison des verbes réguliers se fait selon une démarche assez simple : il faut prendre le **radical** du verbe et ajouter une **terminaison**.

radical + terminaison

Pour choisir la bonne terminaison, il faut savoir à quel **groupe** appartient le verbe. Pour ce faire, on se sert de l'infinitif.

TEMPS PRÉSENT		
	Verbes se terminant par *ER*	Verbes se terminant par *IR* (qui font *ISSANT* au participe présent)
	Aim**er**	Fin**ir**
1re personne du singulier	J'aim**e**	Je fin**is**
2e personne du singulier	Tu aim**es**	Tu fin**is**
3e personne du singulier	Il/Elle aim**e**	Il/Elle fin**it**
1re personne du pluriel	Nous aim**ons**	Nous fin**issons**
2e personne du pluriel	Vous aim**ez**	Vous fin**issez**
3e personne du pluriel	Ils/Elles aim**ent**	Ils/Elles fin**issent**
	Il est donc erroné d'écrire, par exemple, *il modifit, cela constitut* ou *j'essais.*	Il est donc erroné d'écrire, par exemple, *il nourrie, cela finie* ou *je réagie.*

VERBES IRRÉGULIERS

La conjugaison des verbes irréguliers est plus complexe. **Il est souvent utile de consulter un dictionnaire ou un guide de conjugaison pour éviter les erreurs.** Néanmoins, il existe une certaine régularité quant à la lettre finale d'un verbe selon la personne à laquelle il est conjugué. Le tableau suivant présente un résumé des possibilités :

À TOUS LES TEMPS		
	Lettres finales	Exemples
1re personne du singulier Je	s, e, x, ai	*je prend**s**, que je meur**e**, je veu**x**, je ser**ai***
2e personne du singulier Tu	s, x, as e ou a (à l'impératif)	*tu reçoi**s**, tu veu**x**, tu verr**as*** *regard**e**, v**a***
3e personne du singulier Il/Elle	c, a, d, e, t	*il convain**c**, il ser**a**, elle pren**d**, qu'elle voi**e**, il peu**t***
1re personne du pluriel Nous	ons, mes	*nous prendr**ons**, nous lis**ons**, nous som**mes***
2e personne du pluriel Vous	ez, tes	*vous ment**ez**, vous feri**ez**, vous ê**tes***
3e personne du pluriel Ils/Elles	nt	*ils crier**ont**, elles allère**nt**, ils auraie**nt***

QUELQUES REMARQUES UTILES :

- **Les finales en *u* et en *i*** s'appliquent aux participes passés, jamais aux verbes conjugués (exemples : *entendu, fini*).

- Pour trouver **la terminaison d'un participe passé**, on vérifie sa forme au féminin : *fini/finie, écrit/écrite, pris/prise*, etc.

- Pour conjuguer les verbes en ***ER*** et en ***IR* au futur et au conditionnel**, on met en général le verbe à l'infinitif et on ajoute la terminaison : *tu modifieras* (futur), *nous finirions* (conditionnel), *ils crieront* (futur), etc.

- Plusieurs verbes homophones **au présent et au subjonctif** s'écrivent d'une façon différente pour distinguer, justement, le temps auquel ils sont employés : *je meurs/que je meure, tu vois/que tu voies, il court/qu'il coure*.

- **Au passé simple**, seules la 1re et la 2e personnes du pluriel prennent l'accent circonflexe dans la terminaison : *nous allâmes, vous fîtes*, **mais non** *il eût* ou *elle fût*.

- **Dans le verbe *FAIRE***, les lettres ***ai*** deviennent *e* seulement devant un ***r*** : *ils feront*, mais *nous faisons* (et non *nous fesons*).

– Misérable menteur! vociféra la femme. J'ai vu ce que j'ai vu! C'est une femme que tu as cachée au grenier!

– Je t'assure... »

La dispute s'envenimait, devenait infernale, lorsqu'une nonne mendiante se présenta à la porte. Le couple réclama son arbitrage. La nonne monta au grenier, revint :

« C'est une nonne! » dit-elle.

« Tout le malheur des hommes vient de ce qu'ils ne vivent pas dans *le* monde, mais dans *leur* monde. »

Héraclite

Henri Brunel, « Le miroir magique », *Les plus beaux contes zen,* tome 1, © Calmann-Lévy, 1999.

1 Quel objet Iriku achète-t-il au marché? Comment l'auteur s'y prend-il pour laisser entendre que cet objet est magique?

2 Faites le portrait des personnages de ce conte.

3 Commentez la citation d'Héraclite donnée en conclusion du conte : « Tout le malheur des hommes vient de ce qu'ils ne vivent pas dans *le* monde, mais dans *leur* monde. »

4 Expliquez les points de discorde entre Iriku et sa femme.

5 Racontez une histoire qui illustre la citation d'Héraclite : « Tout le malheur des hommes vient de ce qu'ils ne vivent pas dans *le* monde, mais dans *leur* monde. » L'histoire devra porter sur un événement où votre perception des choses différait de celle de vos proches.

AUTEUR : **Jacques Prévert (1900-1977)**
GENRE : **Poésie**

Déjeuner du matin

Il a mis le café
Dans la tasse
Il a mis le lait
Dans la tasse de café
Il a mis le sucre
Dans le café au lait
Avec la petite cuiller
Il a tourné
Il a bu le café au lait
Et il a reposé la tasse
Sans me parler
Il a allumé
Une cigarette
Il a fait des ronds
Avec la fumée
Il a mis les cendres

Dans le cendrier
Sans me parler
Sans me regarder
Il s'est levé
Il a mis
Son chapeau sur sa tête
Il a mis
Son manteau de pluie
Parce qu'il pleuvait
Et il est parti
Sous la pluie
Sans une parole
Sans me regarder
Et moi j'ai pris
Ma tête dans ma main
Et j'ai pleuré.

1 Dans ce poème, délimitez les phrases syntaxiques autonomes par des crochets, et rétablissez la ponctuation.

2 Quel est le thème central de ce poème? Justifiez votre réponse à l'aide d'éléments tirés du texte.

3 Écrivez un poème qui serait le début de ce texte et qui permettrait de mieux en comprendre la chute. Faites en sorte que la forme poétique et la structure syntaxique soient les mêmes que celles du « Déjeuner du matin ».

4 Récrivez ce poème à l'aide du procédé utilisé par Prévert dans « Le message » (une énumération de groupes nominaux formés d'un nom suivi d'une subordonnée relative).

Le message

La porte que quelqu'un a ouverte
La porte que quelqu'un a refermée
La chaise où quelqu'un s'est assis
Le chat que quelqu'un a caressé
Le fruit que quelqu'un a mordu
La lettre que quelqu'un a lue
La chaise que quelqu'un a renversée
La porte que quelqu'un a ouverte
La route où quelqu'un court encore
Le bois que quelqu'un traverse
La rivière où quelqu'un se jette
L'hôpital où quelqu'un est mort.

1 Ce poème est constitué d'une énumération de groupes nominaux (formés d'un nom suivi d'une subordonnée relative). Récrivez la même histoire, en utilisant cette fois des phrases syntaxiques autonomes correctes.

2 Quel est le thème central de ce poème? Justifiez votre réponse à l'aide d'éléments tirés du texte.

3 À votre avis, pourquoi ce poème s'intitule-t-il « Le message »?

4 Écrivez à votre tour un poème constitué d'une accumulation de groupes nominaux.

Le jardin

Des milliers et des milliers d'années
Ne sauraient suffire
Pour dire
La petite seconde d'éternité
Où tu m'as embrassé
Où je t'ai embrassée
Un matin dans la lumière de l'hiver
Au parc Montsouris à Paris
À Paris
Sur la terre
La terre qui est un astre.

Jacques Prévert, *Paroles* (1949), © Éditions Gallimard, 2004.

1 Ce poème est formé d'une seule phrase syntaxique autonome. Découpez ses constituants de base (sujet, prédicat, complément(s) de phrase).

2 Quel est le thème central de ce poème? Justifiez votre réponse à l'aide d'éléments tirés du texte.

3 Écrivez à votre tour un poème formé d'une seule phrase syntaxique autonome.

AUTEUR : **Michel Tremblay (1942)**
GENRE : **Nouvelle**

La mort de Phèdre

Phèdre Falardeau-Fafard m'engueule depuis le matin. Déjà au saut du lit, je l'entendais qui feulait derrière la porte de ma chambre comme chaque fois qu'il fait mauvais. Elle ne m'a pas fait sa danse de séduction habituelle, elle s'est contentée de courir à son plat, de dévorer sans presque y goûter tant sa rage était grande la petite boîte de Sheeba que je garde pour ces journées pluvieuses qu'elle déteste tant. La nourriture avalée, ses besoins bien faits vite faits, elle s'est remise à me crier des bêtises parce qu'elle croit depuis dix-huit ans que je suis le dispensateur de la lumière et du soleil.

Elle ne me remercie pas quand il fait beau; elle se contente de s'étirer dans les taches de soleil, de les suivre dans leur course autour de l'appartement, impatiente quand elles traversent trop rapidement la petite fenêtre près de la porte d'entrée, étalée de tout son long ou ventre en l'air et poil retroussé quand arrive le temps de s'écraser devant les cinq fenêtres du salon qui donnent sur le Carré Saint-Louis et où le soleil finit sa grande course de la journée dans un feu d'artifice de couleurs folles.

Mais là, ce matin, son dernier mais elle ne le sait pas encore, de gros nuages gris foncé, d'automne presque, jettent dans l'appartement une lumière déprimante qui me démoralise autant qu'elle. Je la prends dans mes bras, la grande tragédienne qui, depuis plus de dix-huit ans, console mes peines et attise mes joies, seule compagne vraiment fidèle d'abord dans la maison de la rue Davaar où elle me fut léguée en cadeau par l'ancien propriétaire, le fils de maman Fonfon, puis ici, Carré Saint-Louis, où diverses amours se sont succédées, parfois splendides, parfois ridicules, sous son œil attentif à elle, ma gardienne dont j'étais le gardien, je la prends dans mes bras, donc, la flatte presque furieusement sous la gueule, là où elle est si sensible mais elle détourne la tête pour regarder vers le plancher. D'habitude elle étire le cou, en redemande, me regarde presque suppliante si mon mouvement ralentit, me dit avec ses yeux jaunes : « Encore! Encore! J'en aurai jamais assez! Continue! » Mais là elle ne veut rien savoir de mes caresses; elle est vieille, décatie, pleine de rhumatismes douloureux et n'est pas du tout intéressée aux marques d'affection intempestives d'un grand insignifiant qui n'a pas l'air de comprendre que c'est du soleil, qu'elle veut... du soleil, des taches carrées ou rectangulaires de chaleur divine qui vous fouaille la fourrure, vous pénètre jusqu'aux jointures les plus déformées, les plus endolories et vous endort pour vous faire oublier cet été pourri, cette vie trop longue prolongée par des stéroïdes anabolisants qui vous donnent un faux air de santé et des forces factices.

Elle tend le cou vers mon bureau où, tel un Louis XIV dans toute sa gloire, performe habituellement le soleil, le matin. Grisaille et tristesse. Elle lance un miaulement de bébé chat qui essaie de protester pour la première fois avant de sauter sur le plancher de la cuisine. Elle me regarde en étirant bien la tête pour que je comprenne qu'elle est parfaitement sérieuse dans ses récriminations : il lui faut du soleil immédiatement ou gare à la mauvaise journée que je vais passer en sa compagnie ! Je lui explique à haute et intelligible voix comme je le fais chaque fois qu'il fait mauvais depuis dix-huit ans que je suis très flatté qu'elle me prenne pour Dieu mais que le climat de Montréal n'est pas de mon ressort, que s'il n'en tenait qu'à moi il ferait toujours beau et chaud comme elle aime, comme j'aime, que je ne suis pas responsable du mois de juillet qui vient de se terminer et du mois d'août qui s'annonce aussi pourri, aussi déprimant, mais elle ne veut rien savoir et lève le ton.

Alors je lui dis la vérité : « Fais-moi pas ça, ce matin, Phèdre, c'est ton dernier. Nathalie, qui est beaucoup plus courageuse que moi, s'en vient te chercher pour aller te reconduire à ta dernière demeure, comme on dit, et je voudrais pas qu'on se quitte comme ça, au beau milieu d'une engueulade. Aime-moi. Encore quelques minutes. Viens me voir, ronronne une dernière fois pendant que j'te chatouille, même si ça te tente pas. J'en ai besoin. Tu sais combien j'haïs les chicanes ! » Elle me tourne carrément le dos, comme si elle ne me comprenait pas. Elle se dirige tout droit vers mon bureau, y entre, en fait le tour pour voir s'il n'y aurait pas une petite tache, une toute petite tache de soleil, puis lève la tête en protestant. Je suis à genoux à côté d'elle, je tends une main timide. Elle vient sentir le bout de mes doigts, décide que leur odeur ne l'intéresse pas, s'éloigne en boitillant parce qu'elle souffre. Je la regarde s'éloigner, les pattes de derrière presque paralysées, son petit cul qui se balance d'un côté et de l'autre. Je me dis c'est la dernière fois, c'est la dernière fois que je la vois de dos, c'est la dernière fois que je la vois. Que je la regarde. Je me plie en deux, le tête posée entre mes genoux. Deux petits coups au téléphone, c'est Nathalie qui sonne en bas. Le moment est venu.

Phèdre tourne la tête dans ma direction. Des visiteurs ? Si tôt le matin ? Elle va vers la porte de l'ascenseur qui donne directement dans l'appartement parce que c'est par là, elle le sait, que les visiteurs entrent.

Moi, je me dirige vers la salle de lavage, sors la maudite cage empruntée jadis au vétérinaire de la rue Laurier et jamais remise...

Le reste est trop triste ; je le garde pour moi.

Michel Tremblay, « La mort de Phèdre », in *Nuit blanche,* n° 50, décembre 1992, janvier et février 1993,
© Michel Tremblay.

1 Faites le portrait de Phèdre.

2 Faites le portrait du maître de Phèdre.

3 Quels procédés l'auteur utilise-t-il pour arriver à personnifier son animal de compagnie ?

4 À votre avis, les animaux de compagnie sont-ils exagérément chouchoutés dans la société d'aujourd'hui ?

5 Y a-t-il plus d'avantages que d'inconvénients à avoir un animal de compagnie ? Argumentez.

6 Quel animal de compagnie possédez-vous ou souhaiteriez-vous posséder ? Faites-en la description.

7 Racontez une séparation déchirante avec un être que vous aimiez.

AUTEUR : **Philippe Delerm (1950)**
GENRE : **Essai**

Cet air un peu penché

La joue droite s'incline à peine vers l'épaule. C'est drôle. C'est un geste qu'on voyait faire en couple, avant, quand l'un semblait réclamer quelque chose sans les mots, une caresse, un baiser, l'enveloppement par le bras de l'autre. Un geste comme de lassitude et d'abandon, d'imperceptible bouderie mais de tristesse aussi, l'inclinaison légère de la nuque voulait dire tout ça. Et maintenant, voilà qu'on fait ce geste seul, au milieu d'une place, au hasard d'un trottoir, en marchant plus lentement mais sans s'arrêter de marcher, ou bien assis sur une plage, à la terrasse d'un café, partout. Partout cet aveu de faiblesse, ce besoin d'une voix, d'une présence qu'on n'a pas.

C'est juste pour parler dans le portable, bien sûr, et le message est souvent bien banal, je suis à l'angle de la rue d'Amsterdam, dans vingt minutes je serai à la maison, il y a des tomates et un concombre dans le bac à légumes. C'est peut-être simplement une contrainte technique, quand il y a du bruit tout autour il faut tenir le portable bien collé contre l'oreille et le cacher dans l'encolure du manteau, ou à l'abri du vent. Oui... Peut-être... Mais ça ressemble quand même à ce geste d'enfant qu'on faisait pour écouter la mer au fond d'un coquillage. Rien à voir, c'est entendu, on communique dynamique dans le présent tendu.

Mais il y a cet air un peu penché, qui navigue sur les trottoirs en solitudes parallèles. Comme si on était tous exilés de l'enfance, un peu perdus.

Philippe Delerm, « Cet air un peu penché », *La sieste assassinée,* © Éditions Gallimard, 2001.

1 Croyez-vous que le portable est une invention utile ? Argumentez.

2 Selon Delerm, qu'est-ce qui nous pousse, au fond, à appeler sans cesse sur nos portables ?

3 Dans ce texte écrit dans un style très littéraire, on trouve plusieurs phrases qui ne correspondent pas au modèle de base décrit dans les chapitres 1 et 2. Relevez-en trois et dites en quoi elles s'éloignent du modèle qu'on vous a présenté.

4 Décrivez une invention des dernières années que vous jugez inutile.

5 Décrivez une invention des dernières années qui, à votre avis, changera le monde.

6 Décrivez, à la manière de Philippe Delerm, un geste que vous avez souvent vu faire par une ou des personnes autour de vous.

AUTEUR : **Boris Vian (1920-1959)**
GENRE : **Nouvelle**

Les pompiers

I

Patrick¹ grattait désespérément l'allumette sur le mur dont la peinture un peu éraillée fournissait un frottoir de choix. Au sixième aller et retour, elle cassa net et il s'arrêta, car il ne connaissait pas encore l'art de se brûler les doigts en allumant le petit bout trop court.

En chantant une petite chanson où revenait souvent le nom de Jésus, il s'achemina vers la cuisine. Ses parents préféraient en effet que les allumettes se trouvassent au voisinage du réchaud à gaz plutôt qu'au fond du placard à jouets, ce contre quoi Patrick ne pouvait qu'émettre une protestation morale, car il n'était pas le plus fort. Quant au nom de Jésus, c'était une récrimination supplémentaire et gratuite, une espèce de perfectionnement, car personne n'allait à la messe dans la maison.

Se haussant sur la pointe des pieds, il souleva le couvercle de la petite boîte en fer et prit un des légers fétus soufrés. Un seul à la fois ; on n'a pas tellement l'occasion de marcher.

Puis il refit en sens inverse le trajet de la cuisine au salon.

II

Quand j'entrai, le feu avait convenablement pris aux rideaux qui brûlaient avec une belle flamme claire. Assis au milieu du salon, Pat se demandait s'il fallait vraiment rigoler.

En voyant ma mine intéressée, il se décida pour la grimace vers le bas.

– Écoute, lui dis-je, ou bien ça t'amusait et alors ce n'est pas la peine de pleurer, ou bien ça ne t'amuse pas et alors je ne sais pas pourquoi tu l'as fait.

– Ça ne m'amusait pas tellement, dit-il, mais une allumette, c'est fait pour allumer.

Sur quoi, il se mit à pleurer comme un veau.

Pour lui prouver que je ne prenais pas ça au tragique, j'adoptai un ton léger.

– T'en fais pas, dis-je. Moi aussi, quand j'avais six ans, j'ai mis le feu à des vieux bidons d'essence.

– Oui, mais moi j'en avais pas. Il a bien fallu que je prenne ce que j'ai trouvé.

– Viens dans la salle à manger, dis-je, et oublions le passé.

– On va jouer aux petites autos, dit-il, ravi. Ça fait au moins trois jours qu'on n'a pas joué aux petites autos.

– C'est exact, dis-je, mais tu sais que j'avais des occupations multiples.

---

1. Patrick est le prénom du fils de Vian, alors âgé de six ans et qui apparaît dans plusieurs nouvelles comme un bambin doué d'une forte personnalité.

– C'est pas ça qui doit empêcher quelqu'un de jouer aux petites autos, dit-il. Moi, je peux avoir n'importe quoi à faire, que ce soit une page d'écriture ou manger ma viande, j'aurai toujours le temps de jouer aux petites autos.

Nous quittâmes le salon dont je fermai discrètement la porte. Les rideaux avaient complètement brûlé maintenant et le feu commençait à attaquer le tapis.

– Allons-y, dis-je. Tu prends les bleues et moi les rouges.

Il me regarda pour s'assurer que je ne pensais plus au feu, et, satisfait, déclara :

– Je vais te flanquer la tripotée.

III

Après une heure de petites autos et une interminable discussion sur l'opportunité d'une revanche, je réussis à le guider vers sa chambre où sa boîte de peinture l'attendait, lui assurai-je, avec une impatience fébrile. Puis, muni d'un drap, je m'introduisis dans le salon pour étouffer ce début d'incendie qu'en aucun cas je ne voulais prendre au tragique.

On n'y voyait plus rien car une lourde fumée noire empuantissait l'atmosphère. Je cherchai à déterminer si l'odeur de la laine brûlée l'emportait sur celle de la peinture cuite, et je conclus par une quinte de toux qui me laissa pantelant. Soufflant et crachant, je m'entortillai la tête avec le drap et la détortillai presque aussitôt car le drap en question venait de prendre feu.

L'air était traversé de lueurs fuligineuses et le plancher craquait et sifflait. Des flammes joyeuses sautaient de-ci de-là, communiquant leur chaleur à ce qui ne brûlait pas encore. Sentant une langue ardente s'introduire dans le bas de mon pantalon, je battis en retraite et je fermai la porte. De retour dans la salle à manger j'allai jusqu'à la chambre de mon fils.

– Ça brûle très bien, lui dis-je. Viens, on va appeler les pompiers.

Je m'approchai de la tablette qui supportait le téléphone et composai le numéro 17.

– Allô ? dis-je.

– Allô ? me répondit-on.

– Il y a le feu chez moi.

– Quelle adresse ?

J'indiquai la latitude, la longitude et l'altitude de l'appartement.

– Bon, me répondit-on. Je vous passe vos pompiers.

– Merci, dis-je.

J'obtins rapidement la communication nouvelle et je me félicitai de ce que les services postaux fonctionnassent si remarquablement. Une voix enjouée m'interpella.

– Allô ?

– Allô ? dis-je. Les pompiers ?

– Un des pompiers, me répondit-on.

– Il y a le feu chez moi, dis-je.

– Vous avez de la chance, me répondit le pompier. Vous voulez prendre rendez-vous ?

– Vous ne pouvez pas venir tout de suite ? demandai-je.

– Impossible, Monsieur, dit-il. Nous sommes surchargés en ce moment, il y a des incendies partout. Après-demain à trois heures, c'est tout ce que je peux faire pour vous.

– D'accord, dis-je. Merci. À après-demain.

– Au revoir, Monsieur, dit-il. Ne laissez pas s'éteindre votre feu.

J'appelai Pat.

– Fais ta valise, lui dis-je. On va aller passer quelques années chez tante Surinam².

– Chouette ! s'exclama Pat.

– Tu vois, lui dis-je, tu as eu tort de mettre le feu aujourd'hui ; on ne pourra pas avoir les pompiers avant deux jours. Sans ça, tu aurais vu ces voitures !

– Écoute, dit Pat, oui ou non, les allumettes sont-elles faites pour allumer ?

– Naturellement, dis-je. À quoi veux-tu qu'elles servent ?

– Le type qui les a inventées est un fameux crétin, dit Pat. Avec une allumette, on ne devrait pas pouvoir *tout* allumer.

– Tu as raison, dis-je.

– Enfin, conclut-il, tant pis. Viens jouer. Ce coup-ci, c'est toi qui prendras les bleues.

– On jouera dans le taxi, dis-je. Grouille-toi.

Boris Vian, *L'Herbe rouge* (1950), © Société des éditions Pauvert, 1962,
© Librairie Arthème Fayard, 2000, pour l'édition en œuvres complètes.

1 Montrez que Patrick et son père entretiennent une relation complice.

2 Vian est un auteur connu pour son écriture parfois absurde et pour ses affinités avec les surréalistes. Faites ressortir ce côté fantaisiste dans la nouvelle.

3 Montrez que Vian cherche à surprendre le lecteur à travers les réactions peu habituelles de certains personnages.

4 À votre tour, écrivez une histoire fantaisiste.

---

2. Le Surinam est en fait une ex-colonie britannique et néerlandaise d'Amérique du Sud, au nord de l'Amazonie et entre Guyana et Guyane française ; elle devint territoire autonome en 1954. Vian veut-il évoquer ici de simples vacances exotiques chez une tante mythique, remplaçant le classique « oncle d'Amérique », ou pense-t-il à un exil sud-américain qui offre, comme aux nazis de l'époque, un nouveau départ dans la vie pour un père et un fils complices mais libérés du passé et de la culpabilité ?

AUTEUR : **Jules Supervielle (1884-1960)**
GENRE : **Nouvelle**

L'enfant de la haute mer

Comment s'était formée cette rue flottante ? Quels marins, avec l'aide de quels architectes, l'avaient construite dans le haut Atlantique à la surface de la mer, au-dessus d'un gouffre de six mille mètres ? [...]

Comment cela tenait-il debout sans même être ballotté par les vagues ?

Et cette enfant de douze ans si seule qui passait en sabots d'un pas sûr dans la rue liquide, comme si elle marchait sur la terre ferme ? Comment se faisait-il... ?

Nous dirons les choses au fur et à mesure que nous les verrons et que nous saurons. Et ce qui doit rester obscur le sera malgré nous.

À l'approche d'un navire, avant même qu'il fût perceptible à l'horizon, l'enfant était prise d'un grand sommeil, et le village disparaissait, complètement sous les flots. [...]

L'enfant se croyait la seule petite fille au monde. Savait-elle seulement qu'elle était une petite fille ?

[...]

De quoi vivait-elle ? [...]

Les provisions naissaient spontanément dans les armoires. Et quand l'enfant prenait de la confiture dans un pot, il n'en demeurait pas moins inentamé, comme si les choses avaient été ainsi un jour et qu'elles dussent en rester là éternellement.

Le matin, une demi-livre de pain frais, enveloppé dans du papier, attendait l'enfant sur le comptoir de marbre de la boulangerie, derrière lequel elle n'avait jamais vu personne, même pas une main, ni un doigt, poussant le pain vers elle.

Elle était debout de bonne heure, levait le rideau de métal des boutiques [...], ouvrait les volets de toutes les maisons, les accrochait avec soin à cause du vent marin et, suivant le temps, laissait ou non les fenêtres fermées. Dans quelques cuisines elle allumait du feu afin que la fumée s'élevât de trois ou quatre toits.

Une heure avant le coucher du soleil elle commençait à fermer les volets avec simplicité. Et elle abaissait les rideaux de tôle ondulée. L'enfant s'acquittait de ces tâches, mue par quelque instinct, par une inspiration quotidienne qui la forçait à veiller à tout. [...]

Dans une malle de sa chambre se trouvaient des papiers de famille, quelques cartes postales de Dakar, Rio de Janeiro, Hong-Kong, signées : Charles ou C. Liévens, et adressées à Steenvoorde (Nord). L'enfant de la haute mer ignorait ce qu'étaient ces pays lointains et ce Charles et ce Steenvoorde.

Elle conservait aussi, dans une armoire, un album de photographies. L'une d'elles représentait une enfant qui ressemblait beaucoup à la fillette de l'océan [...].

Dans une autre photographie, la petite fille se montrait entre un homme revêtu d'un costume de matelot et une femme osseuse et endimanchée. L'enfant de la haute mer, qui n'avait jamais vu d'homme ni de femme, s'était longtemps demandé ce que voulaient ces gens, et même au plus fort de la nuit, quand la lucidité vous arrive parfois tout d'un coup, avec la violence de la foudre.

Tous les matins elle allait à l'école communale avec un grand cartable enfermant des cahiers [...].

Le temps ne passait pas sur la ville flottante : l'enfant avait toujours douze ans. [...]

Un [...] jour il y eut comme une distraction du destin, une fêlure dans sa volonté. Un vrai petit cargo tout fumant, têtu comme un bull-dog et tenant bien la mer quoiqu'il fût peu chargé [...] passa dans la rue marine du village [...].

Il était midi juste. Le cargo fit entendre sa sirène, mais cette voix ne se mêla pas à celle du clocher. Chacune gardait son indépendance.

L'enfant, percevant pour la première fois un bruit qui lui venait des hommes, se précipita à la fenêtre et cria de toutes ses forces :

« Au secours ! »

Et elle lança son tablier d'écolière dans la direction du navire.

L'homme de barre ne tourna même pas la tête. [...]

La fillette descendit très vite dans la rue, se coucha sur les traces du navire et embrassa si longuement son sillage que celui-ci n'était plus, quand elle se releva, qu'un bout de mer sans mémoire, et vierge. [...] Les hommes n'entendaient-ils pas sa voix ? Ou ils étaient sourds et aveugles, ces marins ? Ou plus cruels que les profondeurs de la mer ?

Alors une vague vint la chercher qui s'était toujours tenue à quelque distance du village, dans une visible réserve. C'était une vague énorme et qui se répandait beaucoup plus loin que les autres, de chaque côté d'elle-même. Dans le haut, elle portait deux yeux d'écume parfaitement imités. On eût dit qu'elle comprenait certaines choses et ne les approuvait pas toutes. Bien qu'elle se formât et se défît des centaines de fois par jour, jamais elle n'oubliait de se munir, à la même place, de ces deux yeux bien constitués. Parfois, quand quelque chose l'intéressait, on pouvait la surprendre qui restait près d'une minute la crête en l'air, oubliant sa qualité de vague, et qu'il lui fallait se recommencer toutes les sept secondes.

Il y avait longtemps que cette vague aurait voulu faire quelque chose pour l'enfant, mais elle ne savait quoi. Elle vit s'éloigner le cargo et comprit l'angoisse de celle qui restait. N'y tenant plus, elle l'emmena non loin de là, sans mot dire, et comme par la main.

Après s'être agenouillée devant elle à la manière des vagues, et avec le plus grand respect, elle l'enroula au fond d'elle-même, la garda un très long moment en tâchant de la confisquer, avec la collaboration de la mort. Et la fillette s'empêchait de respirer pour seconder la vague dans son grave projet.

N'arrivant pas à ses fins, elle la lança en l'air jusqu'à ce que l'enfant ne fût pas plus grosse qu'une hirondelle marine, la prit et la reprit comme une balle, et elle retombait parmi des flocons aussi gros que des œufs d'autruche.

Enfin, voyant que rien n'y faisait, qu'elle ne parviendrait pas à lui donner la mort, la vague ramena l'enfant chez elle dans un immense murmure de larmes et d'excuses.

Et la fillette qui n'avait pas une égratignure dut recommencer d'ouvrir et de fermer les volets sans espoir [...].

Marins qui rêvez en haute mer, les coudes appuyés sur la lisse, craignez de penser longtemps dans le noir de la nuit à un visage aimé. Vous risqueriez de donner naissance, dans des lieux essentiellement désertiques, à un être doué de toute la sensibilité humaine et qui ne peut pas vivre ni mourir, ni aimer, et souffre pourtant comme s'il vivait, aimait et se trouvait toujours sur le point de mourir, un être infiniment déshérité dans les solitudes aquatiques, comme cette enfant de l'Océan, née un jour du cerveau de Charles Liévens, de Steenvoorde, matelot de pont du quatre-mâts *Le Hardi*, qui avait perdu sa fille âgée de douze ans, pendant un de ses voyages et, une nuit, par 55 degrés de latitude Nord et 35 de longitude Ouest, pensa longuement à elle, avec une force terrible, pour le grand malheur de cette enfant.

Jules Supervielle, *L'enfant de la haute mer* (1931), © Éditions Gallimard.

1 Relevez des éléments du fantastique dans la nouvelle.

2 Relevez les indices qui annoncent la chute de la nouvelle.

3 Expliquez par quels procédés Supervielle a personnifié une vague dans cette nouvelle.

4 Pourquoi peut-on dire que la petite fille présentée dans cette nouvelle est un fantôme original ?

5 Inventez une histoire de fantôme.

AUTEUR : **Paul Auster (1947)**
GENRE : **Essai autobiographique**

Pourquoi écrire ?

J'avais huit ans. À ce moment de ma vie, rien ne me paraissait plus important que le base-ball. Mon équipe, c'était les New York Giants, et je suivais avec toute la dévotion d'un vrai croyant les exploits de ces hommes coiffés de noir et orange. Aujourd'hui, quand je repense à cette équipe qui n'existe plus et jouait dans un stade qui n'existe plus, je peux encore aligner les noms de presque tous les joueurs inscrits au rôle. Alvin Dark, Whitey Lockman, Don Mueller, Johnny Antonelli, Monte Irvin, Hoyt Wilhelm. Mais aucun ne me semblait plus grand, plus parfait, plus digne d'adoration que Willie Mays, l'incandescent « Say-Hey Kid ».

Ce printemps-là, on m'a emmené à mon premier match de grande ligue. Des amis de mes parents avaient une loge aux Polo Grounds, et un soir de mai nous sommes allés en groupe voir les Giants jouer contre les Milwaukee Braves. Je ne sais plus qui a gagné, je ne me souviens pas d'un seul détail du jeu, mais je me rappelle qu'après la fin du match mes parents et leurs amis sont restés à discuter jusqu'à ce que tous les autres spectateurs soient partis. Ils ont tant tardé que pour gagner la sortie du champ extérieur, la seule qui fût encore ouverte, nous avons dû traverser le polygone. Il se trouve que cette sortie était située juste au-dessous du vestiaire des joueurs.

Nous étions presque arrivés au mur quand j'ai aperçu Willie Mays. Il n'y avait aucun doute, c'était lui. C'était Willie Mays, qui avait déjà changé de tenue et se tenait là, en vêtements civils, à quelques pas de moi. J'ai forcé mes jambes à marcher vers lui et alors, prenant mon courage à deux mains, j'ai obligé ma bouche à articuler quelques mots : Monsieur Mays, ai-je dit, pourrais-je avoir un autographe, s'il vous plaît ?

Il avait tout au plus vingt-quatre ans, et pourtant j'aurais été incapable de prononcer son prénom.

Sa réaction à ma question fut brusque mais aimable. Bien sûr, fiston, bien sûr, dit-il. T'as un crayon ? Il était si plein de vie, je m'en souviens, si débordant d'énergie juvénile, qu'il n'arrêtait pas de sautiller en me parlant.

Je n'avais pas de crayon, et j'ai donc demandé à mon père si je pouvais lui emprunter le sien. Il n'en avait pas non plus. Et ma mère non plus. Ni, en définitive, aucun des autres adultes.

Et le grand Willie Mays nous regardait en silence. Quand il fut évident que personne dans notre groupe n'avait de quoi écrire, il se tourna vers moi avec un haussement d'épaules. Désolé, fiston, dit-il. Pas de crayon, pas d'autographe. Il sortit du stade et s'éloigna dans la nuit.

Je ne voulais pas pleurer, mais les larmes se mirent à m'inonder les joues et je ne pouvais rien pour les arrêter. Pis encore, j'ai pleuré pendant tout le trajet en voiture jusqu'à la maison. Oui, la déception m'écrasait, mais aussi je me sentais furieux contre moi-même à cause de mon incapacité à maîtriser ces larmes. Je n'étais plus un bébé. J'avais huit ans, et un garçon de mon âge n'aurait pas dû pleurer pour une chose pareille. Non seulement je n'avais pas l'autographe de Willie Mays, mais je n'avais rien d'autre. La vie m'avait mis à l'épreuve, et je m'étais trouvé déficient à tous égards.

Depuis ce soir-là, j'ai toujours eu un crayon sur moi, où que j'aille. J'ai pris l'habitude de ne jamais sortir de chez moi sans m'assurer que j'avais un crayon en poche. Non parce que j'avais idée de ce que je ferais avec ce crayon, mais parce que je ne voulais plus être pris au dépourvu. Je m'étais laissé prendre une fois, et n'étais pas prêt à laisser ça se reproduire.

Si les années m'ont appris une chose, c'est ceci : du moment qu'on a un crayon dans sa poche, il y a de fortes chances pour qu'un jour ou l'autre on soit tenté de s'en servir.

Et je le dis volontiers à mes enfants, c'est comme ça que je suis devenu écrivain.

Paul Auster, *Thesaurus*, © Actes Sud, 1999.

1 Le petit Paul Auster est un grand amateur de baseball. Relevez, dans le texte, les indices qui appuient cette affirmation.

2 Faites le portrait du personnage principal de cette histoire.

3 Croyez-vous que les sportifs professionnels sont trop gâtés ?

4 Décrivez votre idole.

5 Racontez une grande déception que vous avez eue dans votre enfance.

AUTEUR : **Monique Proulx (1952)**
GENRE : **Nouvelle**

Allô

La cabine téléphonique est dans une petite rue sans arbres, sans passants, sans rien pour distraire le regard ou emprisonner l'imagination. Quand il s'enferme là le lundi soir, avec son carnet d'adresses, il parvient à oublier des quantités de choses déplaisantes, à commencer par sa propre existence.

Il téléphone. Il téléphone à des femmes qu'il ne connaît pas, ce qui limite passablement les conversations et constitue, il faut bien l'admettre, un geste répréhensible puni par la loi.

Il procède toujours méthodiquement, car on n'arrive nulle part, autrement, dans la vie. Il choisit vingt-six noms de femmes dans l'annuaire, commençant par les vingt-six lettres de l'alphabet. C'est simple, et ça favorise la diversité. Il reconnaît les femmes à leurs prénoms – Julie, Carmelle, Zéphyrine... – ou à la puérile habitude qu'elles ont de se camoufler sous une lettre, comme si ça ne constituait pas en soi une signature sexuelle. Il n'est évidemment pas à l'abri des erreurs : il y a un M. Proulx, l'autre lundi soir, qui l'a laissé pantois avec sa voix de brute belliqueuse, et d'autre part, l'époque est difficile, nombre d'hommes se mêlent de plus en plus de se prénommer Dominique ou Laurence, pour brouiller les pistes. Mais il s'agit de cas isolés, le vrai problème réside ailleurs. Il a pris cruellement conscience, la dernière fois, que les Yanofsky, les Zajoman et les Winninger se faisaient rares, ce sont là de périlleuses lettres, à vrai dire, tout juste bonnes à alimenter encore une dizaine de lundis, il lui faudra repenser sa méthode. Déjà, en farfouillant dans ces W, X, Y, Z barbares, il est tombé sur des étrangères, Allemandes ou Polonaises, qui n'ont pas compris qu'il s'agissait d'un appel anonyme, et cela lui a tout à fait gâché le plaisir.

Quand il a arrêté son choix sur les vingt-six noms de femmes présumées commençant par les vingt-six lettres de l'alphabet, il les copie dans son carnet parce que c'est plus intime, ainsi, et que ça tisse subtilement des liens. Il s'appuie le dos contre la vitre de la cabine téléphonique, il pose devant lui vingt-six pièces de vingt-cinq cents, il tient à la main son carnet ouvert comme une sorte de drapeau blanc.

Il glisse une pièce de monnaie. Il compose les numéros. Il attend. Il ne dit rien. Il attend que les femmes parlent, voix d'inconnues éraillées et délicates; troublées et agressives, flétries et juvéniles, tant de voix différentes qui l'entraînent sur-le-champ dans d'incroyables périples immobiles. Et pourtant, il n'a rien du détraqué pervers, il en est sûr, il ne se branle pas au téléphone, par exemple. Ce qu'il aime, c'est autre chose, c'est s'introduire subrepticement dans leur existence à partir de presque rien, un timbre de voix, deux trois syllabes et il peut tout imaginer, leur visage, leur environnement immédiat, leur état d'âme très précis, la façon dont elles se vêtent et mangent et cajolent leur chat.

Elles raccrochent toujours trop vite, en ne disant rien, ou en lui hurlant dans les oreilles, ou pire, en le menaçant d'une castration très douloureuse. Il ne voit pas en quoi il a mérité ça.

Quand il a terminé ses vingt-six appels, il reste un moment les yeux fermés avant de composer l'ultime numéro, le même chaque lundi, qu'il connaît par cœur et qu'il n'a pas cherché dans l'annuaire.

Elle répond. Il ne parle pas, il est tendu par l'angoissante expectative. Elle a sa belle voix rauque qui s'impatiente au bout du fil : « Allô! ALLÔ!... », et c'est le même déchirement, toujours, quand elle raccroche sans l'avoir reconnu, quand elle le rejette brutalement dans le néant duquel elle l'a à peine tiré en le mettant au monde.

Monique Proulx, *Les Aurores montréales,* © Éditions du Boréal, 1997.

1 Pourquoi peut-on dire que le protagoniste de la nouvelle est à la fois très méthodique et très dérangé ?

2 Quelle est la cause de la folie du personnage ? Quels indices donne-t-on à ce sujet ?

3 Inventez une suite à cette nouvelle.

4 Écrivez une nouvelle avec une fin surprenante et dont l'action commence dans une cabine téléphonique.

AUTEUR : **Charles Baudelaire (1821-1867)**
GENRE : **Poème en prose**

Enivrez-vous

Il faut être toujours ivre. Tout est là : c'est l'unique question. Pour ne pas sentir l'horrible fardeau du Temps qui brise vos épaules et vous penche vers la terre, il faut vous enivrer sans trêve.

Mais de quoi ? De vin, de poésie ou de vertu, à votre guise. Mais enivrez-vous.

Et si quelquefois, sur les marches d'un palais, sur l'herbe verte d'un fossé, dans la solitude morne de votre chambre, vous vous réveillez, l'ivresse déjà diminuée ou disparue, demandez au vent, à la vague, à l'étoile, à l'oiseau, à l'horloge, à tout ce qui fuit, à tout ce qui gémit, à tout ce qui roule, à tout ce qui chante, à tout ce qui parle, demandez quelle heure il est ; et le vent, la vague, l'étoile, l'oiseau, l'horloge, vous répondront : « Il est l'heure de s'enivrer ! Pour n'être pas les esclaves martyrisés du Temps, enivrez-vous ; enivrez-vous sans cesse ! De vin, de poésie ou de vertu, à votre guise. »

Charles Baudelaire, *Le Spleen de Paris* (1869).

1 Ce texte est-il une incitation à l'alcoolisme ? Justifiez votre réponse.

2 Selon vous, faut-il se laisser guider par la passion ou par la raison ? Argumentez.

3 Décrivez une de vos passions.

4 Écrivez une lettre d'amour dans laquelle vous utiliserez le même genre de procédés que Baudelaire : une phrase transformée (mais pas exclamative) répétée plusieurs fois avec de légères modifications et des énumérations de groupes prépositionnels.

ANTONIADÈS, Éléonore, Natalie BELZILE et Hélène RICHER. *Apprendre à bien écrire par les textes littéraires*, 2ᵉ édition, Anjou, Les Éditions CEC inc., 2002, 224 p.

ANTONIADÈS, Éléonore, Natalie BELZILE et Hélène RICHER. *Apprendre à bien écrire par les textes littéraires*, 2ᵉ édition, *Cahier de grammaire et d'exercices*, Anjou, Les Éditions CEC inc., 2002, 192 p.

BESCHERELLE 1. *L'art de conjuguer*, Montréal, Hurtubise HMH, 1998, 167 p.

BOIVIN, Marie-Claude, Reine PINSONNEAULT et Marie-Élaine PHILIPPE. *Bien écrire. La grammaire revue au fil des textes littéraires*, 2ᵉ édition, Laval, Groupe Beauchemin éditeur, 2003, 263 p.

CHARTRAND, Suzanne-G et Gilles McMILLAN. *Cours autodidacte de grammaire française*, Boucherville, Les publications Graficor, 2002, 213 p.

CHARTRAND, Suzanne-G et autres. *Grammaire pédagogique du français d'aujour-d'hui*, Boucherville, Les publications Graficor, 1999, 397 p.

FORTIER, Dominique et autres. *L'essentiel et plus. Une grammaire pour tous les jours*, Anjou, Les Éditions CEC inc., 2000, 143 p.

GENEVAY, Éric. *Ouvrir la grammaire*, coll. « Langue et parole », Lausanne, Éditions LEP Loisirs et Pédagogie, 1994, 274 p.

GRÉVISSE, Maurice. *Précis de grammaire française*, 30ᵉ édition, Paris, Éditions Duculot, 1995, 319 p.

MAISONNEUVE, Huguette. *Vade-mecum de la nouvelle grammaire*, 2ᵉ édition, Montréal, Centre collégial de développement de matériel didactique (CCDMD), 2003, 87 p.

NICOLAS-SÉÏDE, Lucienne et Daniel CAILLE. *Passeport pour le français*, Montréal, Centre collégial de développement de matériel didactique (CCDMD), 1997, 362 p.

RIEGEL, Martin, Jean-Christophe PELLAT et René RIOUL. *Grammaire méthodique du français*, coll. « Quadrige », Paris, Presses universitaires de France, 2005, 647 p.

ROUSSELLE, James et autres. *Précisions sur les contenus grammaticaux des programmes d'études en français du secondaire. Guide d'enseignement*, Anjou, Les Éditions CEC inc., 2002, 51 p.

Vadémécum de l'orthographe recommandée, Le millepatte sur un nénufar, Réseau pour la nouvelle orthographe du français, 2005, 38 p.

VILLERS, Marie-Éva de. *La nouvelle grammaire en tableaux*, 4ᵉ édition, Montréal, Québec/Amérique, 2003, 313 p.

VILLERS, Marie-Éva de. *Multidictionnaire de la langue française*, 4ᵉ édition, Montréal, Québec/Amérique, 2003, 1542 p.